Grammar joy 3

저자 **이 종 저**

이화여자대학교 졸업
Longman Grammar Joy 1, 2, 3, 4권
Longman Vocabulary Mentor Joy 1, 2, 3권
I am Grammar 1, 2권
Grammar & Writing Level A 1, 2권 / Level B 1, 2권
Polybooks Grammar joy start 1, 2, 3, 4권
Polybooks Grammar joy 1, 2, 3, 4권
Polybooks 기본을 잡아주는 중등 영문법 1a,1b,2a,2b,3a,3b권
Polybooks 문법을 잡아주는 영작 1, 2, 3, 4권
Polybooks Grammar joy & Writing 1, 2, 3, 4권
Polybooks Bridging 초등 Voca 1, 2권
Polybooks Joy 초등 Voca 1, 2권

감수 **Jeanette Lee**

Wellesley college 졸업

지은이 | 이종저
펴낸곳 | POLY books
펴낸이 | POLY 영어 교재 연구소
기 획 | 박정원
편집디자인 | 이은경
삽화 | 이수진
초판 1쇄 인쇄 | 2015년 4월 25일
초판 22쇄 발행 | 2023년 3월 15일

POLY 영어 교재 연구소

경기도 성남시 분당구 황새울로 200번길 28 1128호
전화 070-7799-1583
ISBN | 979-11-86924-25-9
　　　 979-11-86924-23-5(set)

Grammar joy 3

Preface

그동안 Grammar Mentor Joy에 보내 주신 아낌없는 사랑과 관심에 힘입어 저자가 직접 Grammar Joy 시리즈의 개정판을 출간하게 되었습니다. 이에 더욱 학생들의 효과적인 학습에 도움이 될 수 있도록 연구개발하여 새롭게 선보이게 되었습니다.

영어 문법을 쉽고 재미있게 가르치고 배우길 바라며

본 개정판은 이전 학습자 및 선생님들의 의견과 영어 시장의 새로운 흐름에 맞춰 현장 교육을 바탕으로 집필하였습니다.

Grammar Joy는 다년간 현장 교육을 바탕으로, 학생의 눈높이와 학습 패턴에 맞춘 개념 설명, 재미있고 능동적이며 반복학습을 통해 자신도 모르는 사이에 영어 어휘와 문법을 익혀 나갈 수 있도록 합니다.

기본기를 확실히 다지도록 합니다

학생들은 대체로, 처음엔 영어에 흥미를 가지다가도 일정 시간이 흐르면 점차 어려워하고 지겹게 느끼기 시작합니다. 하지만, 기본 실력을 다지고 어느 정도 영어에 흥미를 계속 유지하도록 지도하면 어느 순간 실력이 월등해지고 재미를 붙여 적극성을 띠게 되는 것이 영어 학습입니다. Grammar Joy는 영어 학습에 꾸준히 흥미를 가질 수 있도록 기본기를 다져 줍니다.

어려운 정통 문법은 나중으로 미룹니다

영어에도 공식이 있습니다. 물론 실력자들은 공식이 아니라 어법이라고 하지요. 하지만 처음부터 어려운 어법을 강요하기보다는 쉬운 수학문제처럼, 어휘의 활용과 어순을 쉽게 이해할 수 있도록 규칙적인 해법을 공식화할 필요가 있습니다. 매우 단순해 보이지만 이를 반복 학습하다보면 어느새 공식의 개념을 깨닫게 되고 나중엔 그 공식에 얽매이지 않고 스스로 활용할 수 있게 됩니다. 이 책에서 쉬운 문제를 집중해서 푸는 것이 바로 그 공식을 소화해 가는 과정이라고 할 수 있습니다.

생동감있는 다양한 문장들로 이루어져 있습니다

실생활에서도 자주 쓰이는 문장들로 구성하여 현장 학습효과를 낼 수 있도록 하였습니다.

최고보다는 꼭 필요한 교재이고자 합니다

다년간 현장 교육을 통해, 학생들이 기존 문법 체계에 적응하기 어려워한다는 사실을 발견하였습니다. 학생들의 눈높이에 맞춰 흥미로운 학습 내용을 다루면서 자연스럽게 문법과 연계되는 내용들을 다루었습니다. 특히 이번 개정판은 기본을 잡아주는 중등 영문법(Grammar Joy Plus)와 연계하여 중학교 내신에 대비에 부족함이 없도록 내용을 구성하였으므로 Grammar Joy를 끝내고 기본을 잡아주는 중등 영문법(Grammar Joy Plus)를 공부한다면, 쓸데없는 중복 학습을 피하고 알찬 중학과정의 grammar 까지 완성할 수 있을 것이라 믿습니다.

모쪼록, 이 교재를 통해 선생님과 학생들이 재미있고 흥미있는 학습으로 소기의 성과를 얻을 수 있기를 기대하며 그동안 이번 시리즈를 출간하느라 함께 이해하며 동행해 주었던 이은경님께 아울러 감사드립니다.

저자 이종저

Contents

Series Contents

Guide to This Book

1 Unit별 핵심정리

가장 기초적인 문법 사항과 핵심 포인트를 알기 쉽게 제시하여 주의 환기 및 개념 이해를 돕습니다.

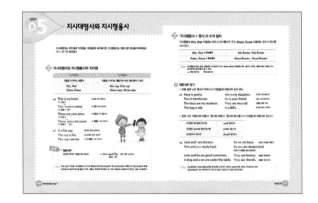

2 기초 다지기

Unit별 핵심 내용에 대한 매우 기초적인 확인 문제로, 개념 이해 및 스스로 문제를 풀어 보는 연습을 할 수 있도록 합니다.

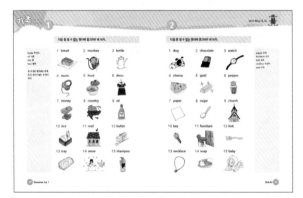

3 꼭꼭 다지기

기초 다지기보다 다소 난이도 있는 연습문제로, 앞서 배운 내용을 복습할 수 있도록 합니다.

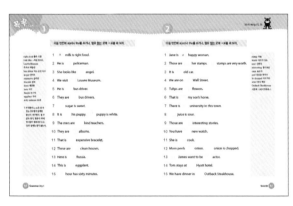

4 실력 다지기

다양한 형태로 제시되는 확장형 응용문제를 통해 문법 개념을 확실히 이해하고 실력을 굳힐 수 있도록 합니다.

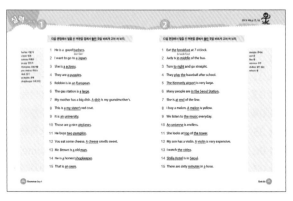

5 실전 테스트

Unit별 마무리 테스트로서, 해당 Unit에서 배운 모든 문법 개념이 적용된 문제 풀이를 통해 응용력을 키우고 학교 선행학습에 대비할 수 있도록 합니다.

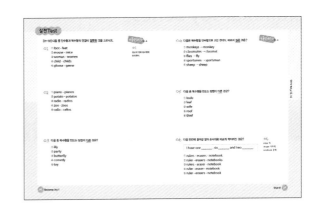

6 Quiz

한 Unit이 끝난 뒤에 쉬어가는 페이지로서, 앞서 배운 내용을 퀴즈 형태로 재미있게 풀어보고 다음 Unit로 넘어갈 수 있도록 합니다.

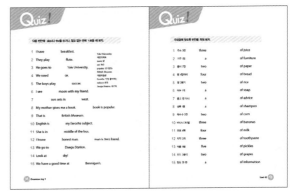

7 Review 테스트, 내신 대비

그 동안 배운 내용을 다시 한 번 복습할 수 있도록 이미 학습한 Unit에 대한 주관식 문제와 내신 대비를 위한 객관식 문제들을 풀어 보도록 합니다.

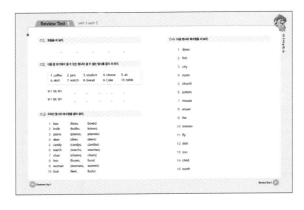

8 종합문제

최종 마무리 테스트로서, Unit 1~8 전체에 대한 종합적인 학습 내용을 다시 한번 점검하고 취약 부분을 파악할 수 있도록 합니다.

How to Use This Book

Grammar Joy Series는 전체 4권으로 구성되었으며, 각 권당 6주, 총 6개월의 수업 분량으로 기획되었습니다. 학습자와 학습 시간의 차이에 따라 문제 풀이 단계가운데 일부를 과제로 부여하거나 보충 수업을 통하여 시수를 맞출 수 있도록 하였습니다. 또한, 아래 제시된 진행 방식 외에, 학생들이 취약한 학습 영역을 다룬 교재를 먼저 채택하여 수업하실 수도 있습니다.

Month	Course	Week	Hour	Curriculum (Unit)	Homework/ Extra Curriculum
1st Month	Joy 1	1st	1 2 3	**1.** 셀 수 있는 명사	▶각 Unit별 퀴즈 ▶시수별 단어 풀이 과제 부여 또는 수업 중 단어 실력 테스트 ▶Review Test 내신대비
	Joy 1	2nd	1 2 3	**2.** 셀 수 없는 명사 **3.** 관사	
	Joy 1	3rd	1 2 3	**4.** 인칭대명사와 지시대명사	
	Joy 1	4th	1 2 3	**5.** 지시대명사와 지시형용사	
2nd Month	Joy 1	1st	1 2 3	**6.** 인칭대명사의 격변화 **7.** be동사의 긍정문	
	Joy 1	2nd	1 2 3	**8.** be동사의 부정문, 의문문	
	Joy 2	3rd	1 2 3	**1.** There is~/There are~ **2.** 일반동사의 긍정문	▶각 Unit별 퀴즈 ▶시수별 단어 풀이 과제 부여 또는 수업 중 단어 실력 테스트 ▶Review Test 내신대비
	Joy 2	4th	1 2 3	**3.** 일반동사의 부정문과 의문문	
3rd Month	Joy 2	1st	1 2 3	**4.** 현재진행형	
	Joy 2	2nd	1 2 3	**5.** 형용사	
	Joy 2	3rd	1 2 3	**6.** some, any와 many, much, a lot of **7.** 부사	
	Joy 2	4th	1 2 3	**8.** 비교	

Month	Course	Week	Hour	Curriculum (Unit)	Homework/ Extra Curriculum
4th Month	Joy 3	1st	1 2 3	**1.** 「의문사 + 일반동사」 의문문	▶각 Unit별 퀴즈 ▶시수별 단어 풀이 과제 부여 또는 수업 중 단어 실력 테스트 ▶Review Test 내신대비
	Joy 3	2nd	1 2 3	**2.** 「의문사 + be동사」 의문문 **3.** 의문대명사와 의문형용사	
	Joy 3	3rd	1 2 3	**4.** 의문부사(1) **5.** 의문부사(2)	
	Joy 3	4th	1 2 3	**6.** 접속사와 명령문	
5th Month	Joy 3	1st	1 2 3	**7.** 조동사(can, must)	
	Joy 3	2nd	1 2 3	**8.** 전치사	
	Joy 4	3rd	1 2 3	**1.** 기수, 서수 **2.** 비인칭주어	▶각 Unit별 퀴즈 ▶시수별 단어 풀이 과제 부여 또는 수업 중 단어 실력 테스트 ▶Review Test 내신대비 ▶종합문제
	Joy 4	4th	1 2 3	**3.** be동사, 일반동사 과거형의 긍정문	
6th Month	Joy 4	1st	1 2 3	**4.** 과거형의 부정문, 의문문	
	Joy 4	2nd	1 2 3	**5.** 과거진행형	
	Joy 4	3rd	1 2 3	**6.** 미래형 **7.** 감탄문	
	Joy 4	4th	1 2 3	**8.** 부정의문문, 부가의문문	

Diligence is
the mother of good luck.

Unit 01

「의문사 +
일반동사」 의문문

'누구, 언제, 어디서, 무엇, 왜, 어떻게'와 같이
의문을 나타내는 말을 의문사라고 하고,
문장 맨 앞에 놓여 의문문을 만든다.

「의문사 ＋ 일반동사」의문문

의문사란?

'누구, 언제, 어디서, 무엇, 왜, 어떻게'와 같이 의문을 나타내는 말로서, 문장 맨 앞에 놓여 의문문을 만든다.

 의문사의 종류

의문사	의미	예
Who(m)	누구(를)	**Who(m) do you love?** 너는 누구를 사랑하니?
What	무엇	**What does she want?** 그녀는 무엇을 원하니?
When	언제	**When does he go to school?** 그는 언제 학교에 가니?
Where	어디서	**Where does Tom live?** Tom은 어디서 사니?
Why	왜	**Why are you so happy?** 너는 왜 그렇게 즐겁니?
How	어떻게	**How does it work?** 그것은 어떻게 작동하니?

▶ **의문사로 시작되는 의문문의 3가지 특징**

❶ 의문사는 문장 맨 앞에 온다.

❷ 의문사 뒤에는 반드시 의문문 어순이 온다.

❸ Yes, No로 대답할 수 없다.

> **Tip!** 누구나 어렵다고 생각하는 의문사!
>
> 모든 의문사로 시작하는 의문문에도 숨겨진 공식이 있다.
>
> ▶**의문사가 있는 의문문 만드는 방법**
>
> 「너는 무엇을 공부하니?」를 영작하기 위해서는,
>
> ❶ 의문사인 '무엇을'과 '너는 공부하니?'로 나눈다.
>
> ❷ '무엇을'과 '너는 공부하니?'를 따로 영작한다.
>
> ❸ 이 때 '너는 공부하니?'를 바로 영어로 고치기 어려울 수 있으므로 '너는 공부한다'라는 긍정문을 만든 후 다시 의문문으로 바꾼다.
>
> ❹ 의문사와 의문문을 합친다.
>
> * 이 공식을 이용하면 이런 종류의 의문문은 무엇이든 만들 수 있다.

2 단계별 영작하기

ex. 너는 무엇을 공부하니?

의문사와 의문문 나누기

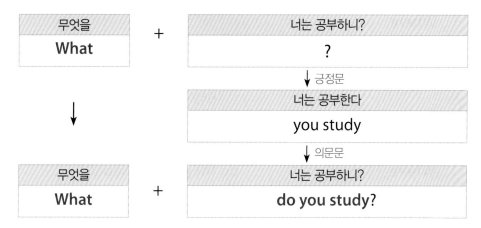

의문사와 의문문 합치기

→ <u>What do you study?</u>   – English.   영어.

ex. 그는 언제 커피를 마시니?

의문사와 의문문 나누기

의문사와 의문문 합치기

→ <u>When does he drink coffee?</u>   – After breakfast.   아침식사 후에.

ex. 그들은 어디서 야구를 하니?

의문사와 의문문 나누기

의문사와 의문문 합치기

→ <u>Where do they play baseball?</u> – On the playground. 운동장에서.

ex. 그녀는 어떻게 그 그림을 그리니?

의문사와 의문문 나누기

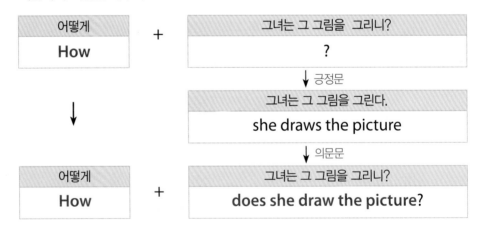

의문사와 의문문 합치기

→ <u>How does she draw the picture?</u> – By using crayons. 크레용을 사용해서.

ex. 너의 여동생은 왜 병원에 다니니?

의문사와 의문문 나누기

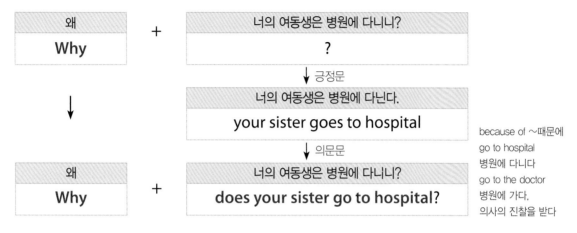

because of ~때문에
go to hospital
병원에 다니다
go to the doctor
병원에 가다,
의사의 진찰을 받다

의문사와 의문문 합치기

→ <u>Why does your sister go to hospital?</u> – Because of allergy. 왜냐하면 알러지때문에.

ex. 그는 누구를 닮았니?

의문사와 의문문 나누기

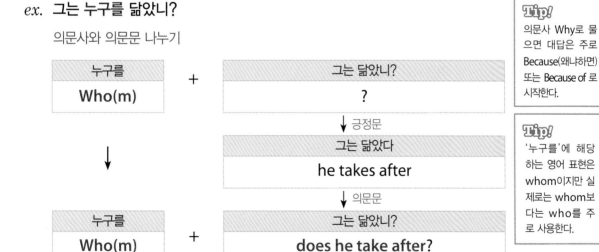

Tip!
의문사 Why로 물으면 대답은 주로 Because(왜냐하면) 또는 Because of 로 시작한다.

Tip!
'누구를'에 해당하는 영어 표현은 whom이지만 실제로는 whom보다는 who를 주로 사용한다.

take after 닮다

의문사와 의문문 합치기

→ <u>Who(m) does he take after?</u> – His dad.

다음 | 보기 | 와 같이 빈칸에 순서대로 알맞은 말을 써 보자.

go to bed 잠자러 가다

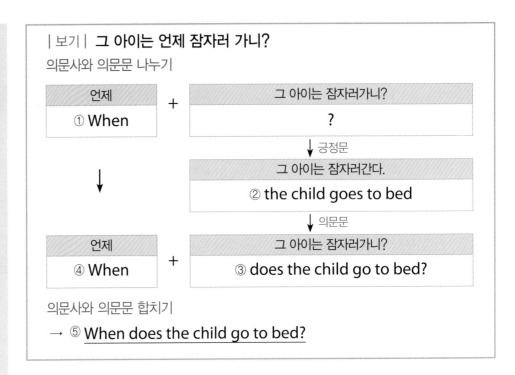

| 보기 | 그 아이는 언제 잠자러 가니?

의문사와 의문문 나누기

언제		그 아이는 잠자러가니?
① When	+	?

↓ 긍정문

	그 아이는 잠자러간다.
	② the child goes to bed

↓ 의문문

언제		그 아이는 잠자러가니?
④ When	+	③ does the child go to bed?

의문사와 의문문 합치기

→ ⑤ When does the child go to bed?

1 그는 무엇을 좋아하니?

의문사와 의문문 나누기

무엇을		그는 좋아하니?
①	+	?

↓ 긍정문

	그는 좋아한다.
	②

↓ 의문문

무엇을		그는 좋아하니?
④	+	③

의문사와 의문문 합치기

→ ⑤ _____

다음 |보기|와 같이 빈칸에 순서대로 알맞은 말을 써 보자.

2 그 소년은 언제 자전거를 타니?

의문사와 의문문 나누기

ride a bike 자전거를 타다
airport 공항

언제		그 소년은 자전거를 타니?
①	+	?

↓ 긍정문

그 소년은 자전거를 탄다.
②

↓ 의문문

언제		그 소년은 자전거를 타니?
④	+	③

의문사와 의문문 합치기

→ ⑤ _____

3 그들은 어떻게 공항에 가니?

의문사와 의문문 나누기

어떻게		그들은 공항에 가니?
①	+	?

↓ 긍정문

그들은 공항에 간다.
②

↓ 의문문

어떻게		그들은 공항에 가니?
④	+	③

의문사와 의문문 합치기

→ ⑤ _____

다음 |보기|와 같이 빈칸에 순서대로 알맞은 말을 써 보자.

hate 싫어하다
feel 느끼다

4 그녀는 왜 고양이를 싫어하니?

의문사와 의문문 나누기

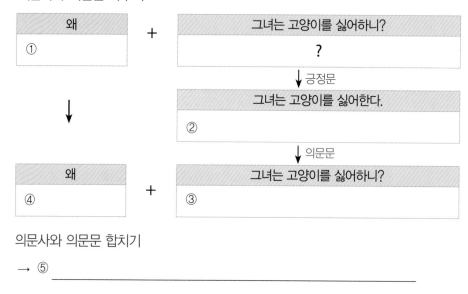

의문사와 의문문 합치기

→ ⑤ _____

5 너는 기분이 어떠니? (어떻게 느끼니?)

의문사와 의문문 나누기

의문사와 의문문 합치기

→ ⑤ _____

다음 |보기|와 같이 빈칸에 순서대로 알맞은 말을 써 보자.

6 Jane은 누구를 기다리고 있니?

의문사와 의문문 나누기

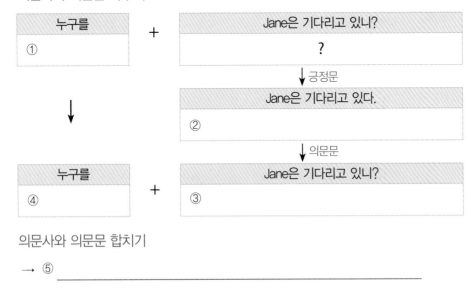

누구를	+	Jane은 기다리고 있니?
①		?

↓ 긍정문

	Jane은 기다리고 있다.
	②

↓ 의문문

누구를	+	Jane은 기다리고 있니?
④		③

의문사와 의문문 합치기

→ ⑤ _____

wait for ~를 기다리다
leave 떠나다

6 현재진행형이다.

7 언제 그 기차는 떠나니?

의문사와 의문문 나누기

언제	+	그 기차는 떠나니?
①		?

↓ 긍정문

	그 기차는 떠난다.
	②

↓ 의문문

언제	+	그 기차는 떠나니?
④		③

의문사와 의문문 합치기

→ ⑤ _____

다음 |보기|와 같이 빈칸에 순서대로 알맞은 말을 써 보자.

eat 먹다
take a bus 버스를 타다

8 현재진행형이다.

8 Tom은 무엇을 먹고 있니?

의문사와 의문문 나누기

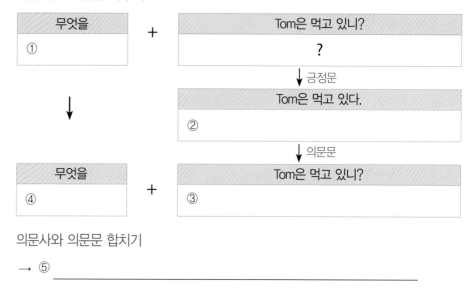

무엇을		Tom은 먹고 있니?
①	+	?

↓ 긍정문

Tom은 먹고 있다.
②

↓ 의문문

무엇을		Tom은 먹고 있니?
④	+	③

의문사와 의문문 합치기

→ ⑤ _____

9 그의 남동생은 어디서 버스를 타니?

의문사와 의문문 나누기

어디서		그의 남동생은 버스를 타니?
①	+	?

↓ 긍정문

그의 남동생은 버스를 탄다.
②

↓ 의문문

어디서		그의 남동생은 버스를 타니?
④	+	③

의문사와 의문문 합치기

→ ⑤ _____

6

다음 |보기|와 같이 빈칸에 순서대로 알맞은 말을 써 보자.

10 그는 어떻게 로봇을 만드니?

robot 로봇
worry 걱정하다

의문사와 의문문 나누기

| 어떻게 | + | 그는 로봇을 만드니? |
| ① | | ? |

↓ 긍정문

| | 그는 로봇을 만든다. |
| | ② |

↓ 의문문

| 어떻게 | + | 그는 로봇을 만드니? |
| ④ | | ③ |

의문사와 의문문 합치기

→ ⑤ _____

11 Tom과 Bill은 왜 걱정하니?

의문사와 의문문 나누기

| 왜 | + | Tom과 Bill은 걱정하니? |
| ① | | ? |

↓ 긍정문

| | Tom과 Bill은 걱정한다. |
| | ② |

↓ 의문문

| 왜 | + | Tom과 Bill은 걱정하니? |
| ④ | | ③ |

의문사와 의문문 합치기

→ ⑤ _____

다음 |보기|와 같이 빈칸에 순서대로 알맞은 말을 써 보자.

get 얻다
idea 아이디어
play with ~와 함께 놀다

12 너는 어디에서 아이디어를 얻니?

의문사와 의문문 나누기

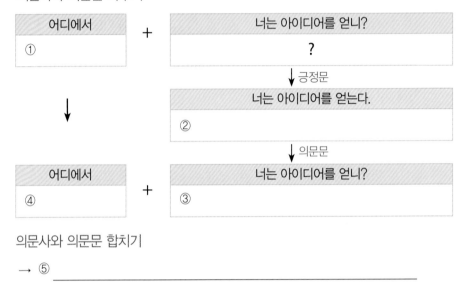

의문사와 의문문 합치기

→ ⑤ _____

13 현재진행형

13 너의 아들은 누구와 함께 놀고 있니?

의문사와 의문문 나누기

의문사와 의문문 합치기

→ ⑤ _____

8

다음 |보기|와 같이 빈칸에 순서대로 알맞은 말을 써 보자.

14 너의 부모님은 언제 산책하시니?

take a walk 산책하다
do ~하다

의문사와 의문문 나누기

의문사와 의문문 합치기

→ ⑤ _____

15 너희들은 무엇을 하고 있니?

15 현재진행형

의문사와 의문문 나누기

의문사와 의문문 합치기

→ ⑤ _____

다음 빈칸에 알맞은 말을 써 넣은 다음, 완전한 문장을 써 보자.

garbage 쓰레기
open 열다
can 캔, 깡통
save 모으다, 저축하다
play 연극
open 시작(개막)하다
look for ~을 찾다

1 너는 어디에 너의 쓰레기를 버리니?

어디에	+	너는 너의 쓰레기를 버리니?
Where		*do you put your garbage?*

Where do you put your garbage?

2 그는 어떻게 그 캔을 여니?

어떻게	+	그는 그 캔을 여니?

3 Laura는 왜 돈을 모으니?

왜	+	Laura는 돈을 모으니?

4 그 연극은 언제 시작(개막)하니?

언제	+	그 연극은 시작(개막)하니?

5 현재진행형

5 그들은 누구를 찾고 있니?

누구를	+	그들은 찾고 있니?

다음 빈칸에 알맞은 말을 써 넣은 다음, 완전한 문장을 써 보자.

1 너희들은 어떻게 그것을 기억하니?

어떻게	+	너희들은 그것을 기억하니?
How		*do you remember it?*

How do you remember it?

remember 기억하다
park 주차하다
keep a diary 일기를 쓰다

2 아빠는 어디에 그의 차를 주차하니?

어디에	+	아빠는 그의 차를 주차하니?

3 그녀는 무엇을 요리하고 있니?

무엇을	+	그녀는 요리하고 있니?

3. 현재진행형

4 너는 왜 일기를 쓰니?

왜	+	너는 일기를 쓰니?

5 그는 누구를 돕고 있니?

누구를	+	그는 돕고 있니?

5. 현재진행형

다음 빈칸에 알맞은 말을 써 넣은 다음, 완전한 문장을 써 보자.

know 알다
answer 답
send 보내다
text message 문자
ask 묻다
taste 맛이 나다

1 현재진행형

1 그들은 어디서 축구하고 있니?

어디서	+	그들은 축구하고 있니?
Where		*are they playing soccer?*

Where are they playing soccer?

2 그녀는 어떻게 답을 아니?

어떻게	+	그녀는 답을 아니?

3 그는 언제 문자를 보내니?

언제	+	그는 문자를 보내니?

4 너는 왜 나에게 물어보니?

왜	+	너는 나에게 물어보니?

5 그것은 어떠한(어떻게) 맛이 나니?

어떠한(어떻게)	+	그것은 맛이 나니?

4

다음 빈칸에 알맞은 말을 써 넣은 다음, 완전한 문장을 써 보자.

1 너는 무엇을 원하니?

무엇을	+	너는 원하니?
What		*do you want?*

_____*What do you want?*_____

2 Robert는 어떻게 그의 시간을 보내니?

어떻게	+	Robert는 그의 시간을 보내니?

_____

3 이 버스는 다음에 어디에 서니(멈추니)?

어디에	+	이 버스는 다음에 멈추니?

_____

4 언제 그 세일이 끝나니?

언제	+	그 세일이 끝나니?

_____

5 그들은 어디서 사진을 찍고 있니?

어디서	+	그들은 사진을 찍고 있니?

_____

spend (돈을)소비하다,
(시간을) 보내다
time시간
stop멈추다
next다음에
sale 세일
end 끝나다
take a picture 사진을 찍다

5 현재진행형

다음 문장에서 의문사를 동그라미하고 우리말을 영어로 써 보자.

catch a cold 감기에 걸리다
every year 매년
start 개학하다
shop 장을 보다 (쇼핑하다)
go camping 캠핑가다
ticket 표
need 필요하다
change 바꾸다
e-mail address 이메일주소
get off 내리다
sign 서명하다
say 말하다

3 현재진행형

1 Smith씨는 매년 ⓦ 감기에 걸리니?

⇨ *Why does Mr. Smith catch a cold every year* ?

2 언제 학교가 개학하니?

⇨ ?

3 그녀는 어디에서 장을 보고 있니(쇼핑하고 있니)?

⇨ ?

4 너희들은 어디로 캠핑을 가니?

⇨ ?

5 Tom은 어떻게 그 표를 사니?

⇨ ?

6 그들은 무엇이 필요하니?

⇨ ?

7 그는 왜 그의 이메일 주소를 바꾸니?

⇨ ?

8 너는 어디서 내리니?

⇨ ?

9 내가 어디에 서명하니?

⇨ ?

10 너의 할머니는 무엇이라고 말하고 계시니?

⇨ ?

10 현재진행형

2

다음 문장에서 의문사를 동그라미하고 우리말을 영어로 써 보자.

1 그들은 그것에 관하여 (무엇)이라고 생각하니?

⇨ *What   do they think about it*   ?

2 너의 아들은 어디서 그의 숙제를 하고 있니?

⇨   ?

3 Jimmy는 매일 누구를 방문하니?

⇨   ?

4 그녀는 언제 졸업하니?

⇨   ?

5 그는 어떻게 그것을 설명하니?

⇨   ?

6 그녀는 왜 오른쪽으로 돌고 있니?

⇨   ?

7 여름 방학은 언제 시작하니?

⇨   ?

8 그 소년들은 왜 웃고 있니?

⇨   ?

9 너희들은 어떻게 그 문제를 푸니?

⇨   ?

10 너는 어디가 아프니?

⇨   ?

do one's homework
~의 숙제를 하다
everyday 매일
graduate 졸업하다
explain 설명하다
turn right 오른쪽으로 돌다
begin 시작하다
summer vacation 여름 방학
laugh 웃다
solve (문제를) 풀다
problem 문제
ache 아프다

2 현재진행형

6 현재진행형

8 현재진행형

[01–03] 다음 문자의 빈칸에 알맞은 의문사를 |보기| 에서 골라 쓰시오.

|보기|	Who	What	When
	Where	Why	How

01 A : _____ are you eating?

B : Candies.

02 A : _____ does he go to the park?

B : By bus.

03 A : _____ does your mother swim?

B : In the pool.

[04–05] 다음 우리말과 같도록 할 때, 빈칸에 들어갈 말이 순서대로 바르게
짝지어진 것을 고르시오.

04

Mina는 왜 미국에 사니?

→ _____ _____ Mina _____ in America?

① Why - do - live
② Why - does - lives
③ Why - do - lives
④ Why - does - live
⑤ Why - did - live

05

너의 아빠는 어디서 일하고 있니?

→ _____ _____ your dad _____ ?

① Where - does - work
② Where - do - work
③ Where - is - working
④ Where - are - working
⑤ Where - does - working

06 다음 질문에 알맞은 답을 고르시오.

When does the shop open?

① Yes, it is.
② No, it isn't.
③ Yes, it does.
④ No, it doesn't.
⑤ At 10.

07 다음 우리말을 주어진 단어를 이용하여 영어로 쓰시오.

> 너의 아들은 언제 피아노 수업을 받니?
>
> (does, take, a piano lesson, your son, when?)

⇨ _____

07

take (수업을) 받다

when + 일반동사
의문문

08 다음 문장에서 <u>틀린</u> 부분을 바르게 고쳐 쓰시오.

> Why she takes a medicine every day?
>
> 그녀는 왜 매일 약을 먹니?

_____ ⇨ _____

09 다음 대화의 빈칸에 들어갈 말로 알맞은 것은?

> A : _____
>
> B : Tom.

① What does she buy at the store?
② Where are they fishing?
③ How do you go to the zoo?
④ Who(m) does this book belong to?
⑤ When does he study English?

09

belong to ~에게 속하다

정답 및 해설 p.3, 4

10 다음 빈칸에 들어갈 말이 순서대로 바르게 짝지어진 것은?

> · Where _____ they play hide and seek?
>
> · Who _____ she meet every morning?

① does - do
② do - does
③ does - is
④ is - does
⑤ does - does

10

play hide and seek
숨바꼭질 하다

다음 질문에 알맞은 대답을 보기에서 골라 써 보자. (2가지 기능)

| 보기 | Because she wants to catch a taxi.
In his room.
By bus.
A cell phone.
After school.
In the evening.
Jane.

1 When do they play basketball?

　-　.

2 Whom is Tom waiting for?

　-　.

3 How do you go to museum?

　-　.

4 When does she call you?

　-　.

5 Where does he practice the cello?

　-　.

6 Why is the woman standing there?

　-　.

7 What do you want for Christmas?

　-　.

Unit **02**

「의문사 + be동사」 의문문

be동사는 동사 중에서 가장 힘 센 동사라서 누구의
도움도 받지 않고 스스로 의문문을 만들 수 있다.
그러므로 be동사가 주어 앞으로
옮겨가기만 하면 의문문이 된다.

「의문사 + be동사 의문문」

의문사 뒤에 be동사가 있는 의문문을 붙여주면 된다.

의문사	의미	예
Who	누구, 누가	Who is your friend? 너의 친구는 누구니?
What	무엇	What is your name? 네 이름은 무엇이니?
When	언제	When is Thanksgiving Day? 추수감사절은 언제니?
Where	어디서	Where is she? 그녀는 어디에 있니?
Why	왜	Why are you so happy? 왜 그렇게 즐겁니?
How	어떻게, 얼마나	How are you? 너는 어떻게 지내니(어떠니)?

1 단계별 영작하기

ex. 이것은 무엇이니?

의문사와 의문문 나누기

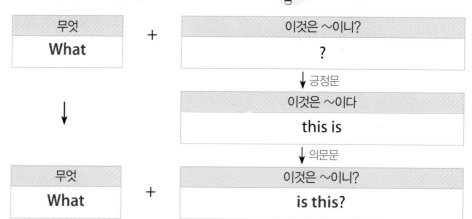

무엇
What

+

이것은 ~이니?
?

↓ 긍정문

이것은 ~이다
this is

↓ 의문문

무엇
What

+

이것은 ~이니?
is this?

의문사와 의문문 합치기

→ <u>What is this?</u> — It is my hair pin. 그것은 나의 머리핀이야.

> **Tip!** • be동사는 「~이다, ~이 있다」라는 두 가지 뜻이 있다.
> • 의문사 뒤에는 의문문이 온다.

ex. 너의 집은 어디에 있니?

의문사와 의문문 나누기

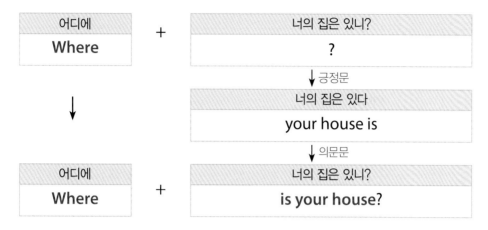

어디에		너의 집은 있니?
Where	+	**?**

↓ 긍정문

너의 집은 있다
your house is

↓ 의문문

어디에		너의 집은 있니?
Where	+	**is your house?**

의문사와 의문문 합치기

→ <u>Where is your house?</u>   — On Wall Street. 월가에.

ex. 그 소년은 왜 속상하니?

의문사와 의문문 나누기

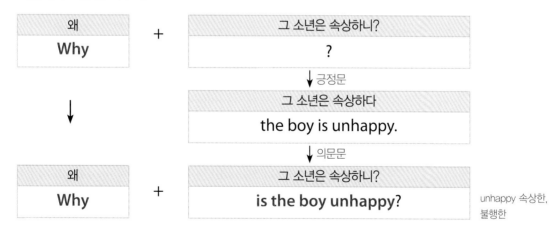

왜		그 소년은 속상하니?
Why	+	**?**

↓ 긍정문

그 소년은 속상하다
the boy is unhappy.

↓ 의문문

왜		그 소년은 속상하니?
Why	+	**is the boy unhappy?**

unhappy 속상한, 불행한

의문사와 의문문 합치기

→ <u>Why is the boy unhappy?</u>   — Because he lost his dog.

왜냐하면 그의 강아지를 잃어버렸기 때문에

다음 |보기|와 같이 빈칸에 순서대로 알맞은 말을 써 보자.

parking lot 주차장

| 보기 | **그의 차는 어디에 있니?**

의문사와 의문문 나누기

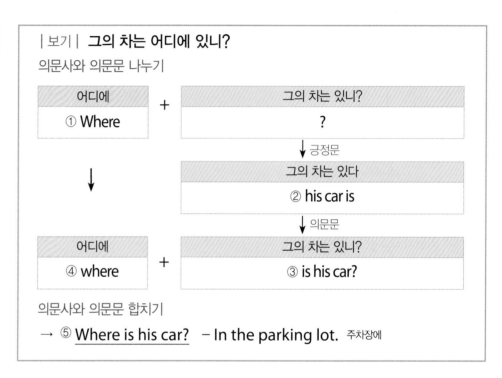

의문사와 의문문 합치기

→ ⑤ <u>Where is his car?</u> – In the parking lot. ^{주차장에}

1 이것들은 무엇이니?

의문사와 의문문 나누기

의문사와 의문문 합치기

→ ⑤ _____

다음 |보기|와 같이 빈칸에 순서대로 알맞은 말을 써 보자.

2 너는 왜 배가 고프니?

hungry 배가 고픈
am, is, are 이다. 있다.
지내고 있다.

의문사와 의문문 나누기

왜
①

\+

너는 배가 고프니?
?

↓ 긍정문

너는 배가 고프다
②

↓ 의문문

왜
④

\+

너는 배가 고프니?
③

의문사와 의문문 합치기

→ ⑤ _____

3 그녀는 어떻게 지내고 있니?

의문사와 의문문 나누기

어떻게
①

\+

그녀는 (지내고) 있니?
?

↓ 긍정문

그녀는 (지내고) 있다
②

↓ 의문문

어떻게
④

\+

그녀는 (지내고) 있니?
③

의문사와 의문문 합치기

→ ⑤ _____

다음 |보기|와 같이 빈칸에 순서대로 알맞은 말을 써 보자.

happy 행복한
bracelet 팔찌

4 너는 언제 행복하니?

의문사와 의문문 나누기

언제	+	너는 행복하니?
①		?

↓ 긍정문

너는 행복하다
②

↓ 의문문

언제	+	너는 행복하니?
④		③

의문사와 의문문 합치기

→ ⑤ _____

5 Tom의 가방은 어디에 있니?

의문사와 의문문 나누기

어디에	+	Tom의 가방은 있니?
①		?

↓ 긍정문

Tom의 가방은 있다
②

↓ 의문문

어디에	+	Tom의 가방은 있니?
④		③

의문사와 의문문 합치기

→ ⑤ _____

4

다음 |보기|와 같이 빈칸에 순서대로 알맞은 말을 써 보자.

6 Paul은 누구이니?

의문사와 의문문 나누기

누구
①

+

Paul은 ∼이니?
?

↓ 긍정문

Paul은 ∼이다
②

↓ 의문문

누구
④

+

Paul은 ∼이니?
③

의문사와 의문문 합치기

→ ⑤ _____

7 그는 왜 바쁘니?

의문사와 의문문 나누기

왜
①

+

그는 바쁘니?
?

↓ 긍정문

그는 바쁘다
②

↓ 의문문

왜
④

+

그는 바쁘니?
③

의문사와 의문문 합치기

→ ⑤ _____

busy 바쁜

다음 | 보기 |와 같이 빈칸에 순서대로 알맞은 말을 써 보자.

glasses 안경
blue 푸른, 파란색의

8 glasses는 복수로 받는다.

8 나의 안경은 어디에 있니?

의문사와 의문문 나누기

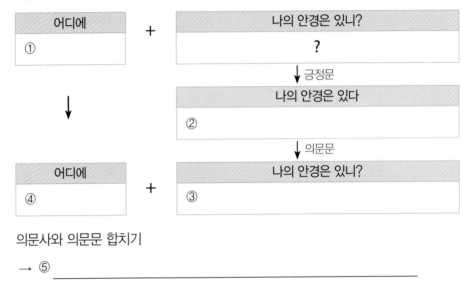

어디에		나의 안경은 있니?
①	+	?

↓ 긍정문

	나의 안경은 있다
	②

↓ 의문문

어디에		나의 안경은 있니?
④	+	③

의문사와 의문문 합치기

→ ⑤ _____

9 하늘은 왜 파란색이니?

의문사와 의문문 나누기

왜		하늘은 파란색이니?
①	+	?

↓ 긍정문

	하늘은 파란색이다
	②

↓ 의문문

왜		하늘은 파란색이니?
④	+	③

의문사와 의문문 합치기

→ ⑤ _____

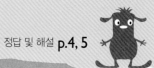

6

다음 |보기|와 같이 빈칸에 순서대로 알맞은 말을 써 보자.

10 너의 계획은 무엇이니?

plan 계획
different 다른

의문사와 의문문 나누기

무엇	+	너의 계획은 ~이니?
①		?

↓ 긍정문

너의 계획은 ~이다
②

↓ 의문문

무엇	+	너의 계획은 ~이니?
④		③

의문사와 의문문 합치기

→ ⑤ _____

11 그것들은 어떻게 다르니?

의문사와 의문문 나누기

어떻게	+	그것들은 다르니?
①		?

↓ 긍정문

그것들은 다르다
②

↓ 의문문

어떻게	+	그것들은 다르니?
④		③

의문사와 의문문 합치기

→ ⑤ _____

다음 |보기|와 같이 빈칸에 순서대로 알맞은 말을 써 보자.

upset 화가 난
birthday 생일

12 너의 선생님은 왜 화가 나 있니?

의문사와 의문문 나누기

의문사와 의문문 합치기

→ ⑤ _____

13 그의 생일은 언제이니?

의문사와 의문문 나누기

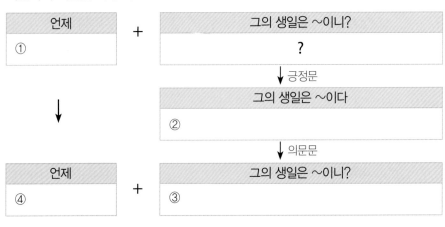

의문사와 의문문 합치기

→ ⑤ _____

8

다음 | 보기 | 와 같이 빈칸에 순서대로 알맞은 말을 써 보자.

apartment 아파트
problem 문제

14 너의 새 아파트는 어떠니(어떠한+이니)?

의문사와 의문문 나누기

| 어떠한 | + | 너의 새 아파트는 ~이니? |
| ① | | ? |

↓ 긍정문

| 너의 새 아파트는 ~이다 |
| ② |

↓ 의문문

| 어떠한 | + | 너의 새 아파트는 ~이니? |
| ④ | | ③ |

의문사와 의문문 합치기

→ ⑤ _____

15 그녀의 문제는 무엇이니?

의문사와 의문문 나누기

| 무엇 | + | 그녀의 문제는 ~이니? |
| ① | | ? |

↓ 긍정문

| 그녀의 문제는 ~이다 |
| ② |

↓ 의문문

| 무엇 | + | 그녀의 문제는 ~이니? |
| ④ | | ③ |

의문사와 의문문 합치기

→ ⑤ _____

다음 빈칸에 알맞은 말을 써넣은 다음, 완전한 문장을 써 보자.

be in blue 우울하다
turn 차례
noisy 시끄러운
now지금
name 이름

1 너는 왜 우울하니?

왜	+	너는 우울하니?
Why		are you in blue?

Why are you in blue?

2 너의 차례는 언제이니?

언제	+	너의 차례는 ～이니?

_____

3 그들은 왜 시끄럽니?

왜	+	그들은 시끄럽니?

_____

4 지금 우리는 어디에 있니?

어디에	+	지금 우리는 있니?

_____

5 그녀의 이름은 무엇이니?

무엇	+	그녀의 이름은 ～이니?

_____

2

다음 빈칸에 알맞은 말을 써넣은 다음, 완전한 문장을 써 보자.

1 Tom의 친구들은 어디에 있니?

어디에	+	Tom의 친구들은 있니?
Where		*are Tom's friends?*

Where are Tom's friends?

friend 친구
healthy 건강한
message 메시지
weather 날씨

2 왜 그는 건강하니?

왜	+	그는 건강하니?

_____

3 그의 메시지는 무엇이니?

무엇	+	그의 메시지는 ~이니?

_____

4 너는 왜 바쁘니?

왜	+	너는 바쁘니?

_____

5 날씨가 어떠니(어떠한+이니)?

어떠한	+	날씨가 ~이니?

_____

다음 문장에서 의문사를 동그라미하고 우리말을 영어로 써 보자.

present 선물
happiness 행복
wrong 틀린
show time 상영(공연)시간
next show time
다음 상영 시간
possible 가능한

1 〔누가〕 Helen이니?

⇨ _Who_   _is Helen_   ?

2 저 선물들은 무엇이니?

⇨   ?

3 너의 부모님은 어떻게 지내시니?

⇨   ?

4 왜 Tom은 피곤하니?

⇨   ?

5 너의 행복은 무엇이니?

⇨   ?

6 그의 사무실은 어디에 있니?

⇨   ?

7 그것은 왜 틀렸니?

⇨   ?

8 누가 너의 친구들이니?

⇨   ?

9 이 경우 우리말로는 '언제'의 의미를 갖고 있지만 'what(time)'으로 묻는다.

9 다음 상영 시간은 언제이니?

⇨   ?

10 이것이 어떻게 가능하니?

⇨   ?

2

다음 문장에서 의문사를 동그라미하고 우리말을 영어로 써 보자.

1 〔무엇이〕 인기있는 음악이니?

⇨ *What*   *is the popular music* ?

2 문방구는 어디에 있니?

⇨ ?

3 왜 Sam과 Paul이 유명하니?

⇨ ?

4 겨울 방학은 언제니?

⇨ ?

5 오늘의 뉴스는 무엇이니?

⇨ ?

6 누가 너의 고모들이니?

⇨ ?

7 이 차는 왜 비싸니?

⇨ ?

8 나의 열쇠들은 어디에 있니?

⇨ ?

9 너의 공부는 어떠니?

⇨ ?

10 그들의 목표는 무엇이니?

⇨ ?

popular 인기 있는
stationery 문방구
famous 유명한
winter vacation 겨울 방학
Today's news 오늘의 뉴스
aunt 고모, 이모
expensive 비싼
key 열쇠
study 공부
goal 목표

[01–03] 다음 빈칸에 들어갈 말로 알맞은 것을 고르시오.

01

_____ is your textbook?

① When　　　　② Where
③ Who　　　　④ Whom
⑤ Why

더 알아보기

01
textbook 교과서

02

Why _____ he pale?

① do　　　　② does
③ is　　　　④ are
⑤ did

02
pale 창백한
he가 주어이다.

03

What _____ these?

① do　　　　② does
③ is　　　　④ are
⑤ did

03
these가 주어이다.

04 다음 응답에 대한 질문으로 알맞은 것은?

> My birthday is in December.

① Where is your house?
② What do you do?
③ How tall are you?
④ When is your birthday?
⑤ Why do you go to the shop?

04

① 장소를 묻는 의문문
② 직업을 묻는 의문문
③ 키를 묻는 의문문
⑤ 이유를 묻는 의문문

정답 및 해설 p.5, 6

05 다음은 우리말을 영어로 쓴 것이다. 틀린 부분을 바르게 고쳐 쓰시오.

> 너의 삼촌은 안녕하시니?
>
> → How are your uncle?

_____ ⇨ _____

05

your uncle이 주어이다.

06 다음 짝지어진 대화가 <u>어색한</u> 것은?

① When is the concert? - March 7th.
② Where is my car? - Yes, it is at the park.
③ Who is the girl? - Maria.
④ How are you? - I'm fine.
⑤ What is that? - A lunch box.

07 다음 질문에 대한 대답으로 알맞은 것은?

How are your sisters?

① I'm fine.　　　　　② You're fine.
③ Yes, they are.　　　④ No, they aren't.
⑤ They're fine.

07

안부를 묻는 질문으로,
의문사로 물었으며,
주어는 your sisters이다.

08 다음 문장 중 바른 것은?

① Who your best friend?
② Who do your best friend?
③ Who does your best friend?
④ Who are your best friend?
⑤ Who is your best friend?

09 다음 질문 (A), (B)에 각각 알맞은 대답을 골라 그 번호를 쓰시오.

09

closet 벽장

Where + is + 단수명사?,
Where + are + 복수명사?
이므로 대답도 단수와
복수를 구별하여야 한다.

> (A) Where is my T-shirt?
>
> (B) Where are my T-shirts?

> ⓐ They are in the closet.
>
> ⓑ It is in the closet.

(A) – _____   (B) – _____

10 다음 우리말을 영어로 옮길 때, <u>틀린</u> 부분을 찾아 바르게 고쳐 쓰시오.

> 그들은 왜 춥니?
>
> → Why do they cold?

_____ ⇨ _____

다음 질문에 알맞은 대답을 보기에서 골라 써 보자.

| 보기 | Fine.
Because her leg is achy. leg 다리 achy 아픈
Tomorrow.
It's her present. present 선물
They are my son's toys.
They are in my school bag.
It is on the desk.

1 What is this?

– _____ .

2 When is the field trip? field trip 현장학습

– _____ .

3 Where are your pencils?

– _____ .

4 How is your grandmother?

– _____ .

5 What are those?

– _____ .

6 Where is your pen?

– _____ .

7 Why is she sitting there?

– _____ .

Unit o3

의문대명사와
의문형용사

의문대명사는 그 자체가 의문을 나타내며
대명사 역할을 하는 의문사이고,
의문형용사는 뒤에 오는 명사를
꾸며 주는 역할을 하는 의문사이다.

의문대명사와 의문형용사

의문대명사란?

뒤에 명사 없이 스스로 의문을 나타내며, 대명사 역할을 하는 의문사이다.

의문형용사란?

형용사 역할을 하는 의문사이다. 「의문형용사+명사의 형태」로, 명사 앞에 와서 그 명사를 꾸며주는 역할을 한다.

1 의문대명사

1 Who(누가) ~?

unit1에서는 who가 목적어로 쓰이는 경우를 공부하였고, 본 unit에서는 문장에서 주어로 쓰이는 경우를 공부해 보자.

주어로 쓰인 who는 3인칭 단수로 취급하여 3인칭 단수형 동사를 쓴다.

ex. <u>Who</u> <u>studies</u> English?　　　누가 영어를 공부하니?
　　　주어　　동사

　　　– Tom does.　Tom이 한다.

> **Tip!** who 이외에도 what도 주어로 쓰이는 경우가 있으나 사물이 주어가 되는 경우는 수동태를 제외하곤 많지 않으므로 다루지 않는다.

2 who와 what

who	what
신분, 이름, 가족관계를 물을 때	직업을 물을 때
Who + be동사 + 주어?	What + do/does +주어 + do?
ex. **Who** are you? 너는 누구니? – I'm Maria. 나는 마리아야.	*ex.* **What do you do** (for a living)? 너의 직업이 무엇이니? – I'm a doctor. 나는 의사야.

job 일, 직업
occupation 직업

What do you do?와 같은 표현으로는 다음과 같다.

What is your job?

What is your occupation?

의문형용사 what, which, whose

「의문형용사 (what, which, whose) + 명사」의 형태로, 의문사가 뒤에 있는 명사를 꾸며 주는 형용사 역할을 하므로, 의문형용사라고 한다.

1 What + 명사 ~?/Which + 명사 ~?

ex. **What time** do you play the piano?　　너는 몇 시에 피아노를 치니?

　　Which sport do you enjoy?　　너는 어떤 운동을 즐기니?

2 what과 which의 차이

what ~ ?	범위가 정해져 있지 않을 때
which ~ ?	두 개 이상의 정해진 것들 중에서 선택할 때

ex. **What color** do you like?　　너는 무슨 색을 좋아하니?

　　– I like yellow.　　나는 노란색을 좋아해.

ex. **Which color** do you like, blue or red?　　너는 어떤 색을 좋아하니, 파란색 또는 빨간색?

　　– I like red, not blue.　　나는 빨간색을 좋아해. 파란색이 아니라

> **Tip!** 형용사는 명사 앞에 붙어서 명사를 꾸며주는 역할을 한다.

3 '의문 형용사 + 명사'는 의문 대명사로 바꿔 쓸 수 있다.

ex. **Which bag** is yours, this or that?　　어떤 가방이 너의 것이니, 이것 또는 저것?
　　의문 형용사 + 명사

　　= **Which** is your bag, this or that?　　어떤 것이 너의 가방이니, 이것 또는 저것?
　　　의문 대명사

ex. **Whose book** is this?　　이것은 누구의 책이니?
　　의문 형용사 + 명사

　　= **Whose** is this book?　　이 책은 누구의 것이니?
　　　의문 대명사

which	어떤, 어떤 것 어느, 어느 것
whose	누구의, 누구의 것

다음 ( ) 안에서 알맞은 말을 골라 동그라미 해 보자.

sweater 스웨터
take a rest 휴식을 취하다
want 원하다
cure 치료하다
patient 환자

* 주어로 쓰인 Who는 3인칭
단수로 취급하여 3인칭
단수 동사를 쓴다.

1 Who (buy, buys) the pen?

2 Who (rides, ride) a horse?

3 Who (are coming, is coming) to my house?

4 Who (wax, waxes) this pot?

5 Who (wear, wears) a red sweater?

6 Who (tells, tell) a lie?

7 Who (is taking, are taking) a rest in my room?

다음 주어진 동사를 현재형으로 바꿔 보자.

1 Who *eats* a meal? (eat)

2 Who TV every night? (watch)

3 Who you happy? (make)

4 Who the cello? (play)

5 Who the dishes in the kitchen? (do)

6 Who my help? (want)

7 Who the patient? (cure)

2

다음 ( ) 안에서 알맞은 의문사를 골라 동그라미 해 보자.

1 (Who, Whose) is her sister?

   – Jane.

2 (What, Where) does Tom do?

   – He is a pilot.

3 (Who, What) is her occupation?

   – Her occupation is a lawyer.

4 (Why, Who) is the boy?

   – He is my nephew.

5 (What, Who) do you do for a living?

   – I am a model.

6 (Who, Why) are they?

   – They are my parents.

7 (What, Why) is his job?

   – He is a janitor.

8 (Who, How) are you?

   – We are Mr. Bush's sons.

9 (What, Who) is Tom's occupation?

   – His occupation is a fire fighter.

10 (What, Who) is your sister?

   – The young lady is my sister.

pilot 비행기 조종사
lawyer 변호사
nephew 남자 조카
janitor 수위
fire fighter 소방관

다음 문장의 ( ) 안에서 알맞은 의문사를 골라 동그라미 해 보자.

prefer 더 좋아하다
flavor 맛
cherry 체리
vanilla 바닐라
crust pizza 크러스트 피자
size 치수, 크기
subject 과목
history 역사
kind of music 음악의 종류
rock 록 음악
hip-hop 힙합
round 둥근
square 정사각형 모양의

5 What music과 What kind of music은 같은 표현이다.

1 (Which, What) class do you take, math or English?

2 (Which, What) movie is the best?

3 (Which, What) food does he eat for breakfast?

4 (Which, What) do you prefer, dogs or cats?

5 (Which, What) flavor of ice cream do you want, cherry or vanilla?

6 (Which, What) do they bring for her?

7 (Which, What) bed do you sleep in, this or that?

다음 빈칸에 알맞은 말을 써 넣어 질문을 완성해 보자.

1 _What_ pizza do you eat?
– I eat some cheese crust pizza.

2 _____ color does he use, yellow or blue?
– He uses blue.

3 _____ size is your coat? – Size 11.

4 _____ subject do you study? – I study history.

5 _____ kind of music does she love?
– She loves hip - pop?

6 _____ table do you need, round or square?

7 _____ car does he like, SM5 or Sonata?

4

다음 문장의 ( ) 안에서 알맞은 의문사를 골라 동그라미 해 보자.

umbrella 우산
guitar 기타

1 Whose car is this?

= (Which, Whose, What) is (this car, this)?

2 Which bag is hers?

=(Which, Whose, What) is (her, her bag)?

3 Whose cellphone is that?

=(Whose, What, Which) is (that, this) cellphone?

4 Which is my dad's shirt?

= (What shirt, Which shirt, Whose shirt) is
    (my dad's, my dad)?

5 Whose are those notebooks?

= (Which notebooks, Whose notebooks,
    What notebooks) are (those, those notebooks)?

6 Which boat is yours?

= (Which, What) is (yours, your boat)?

7 Whose umbrellas are these?

= (Which, Whose, What) are (those, these) umbrellas?

8 Which are my shoes?

= (Which shoes, Whose shoes, What shoes) are
(my, mine)?

9 Which card is his?

= (Which, What) is (his, his card)?

10 Whose is that guitar?

= (Which guitar, Whose guitar, What guitar) is
    (that, that guitar)?

다음 빈칸에 알맞은 의문사를 써 보자.

engineer 기술자
designer 디자이너
policeman 경찰관
carpenter 목수
shopkeeper 상점주인

1   *What*   is his job?
   – He is an engineer.

2   ___   does she do?
   – She is a designer.

3   ___   is the policeman?
   – He is my uncle.

4   ___   is Paul's job?
   – He is an artist.

5   ___   is he?
   – He is Richard Kim.

6   ___   does your sister do?
   – She is a dancer.

7   ___   is Helen?
   – She is my daughter.

8   ___   is his occupation?
   – He is a carpenter.

9   ___   are you?
   – I am Minsu Park.

10   ___   does your father do?
   – He is a shopkeeper.

2

다음 두 문장의 뜻이 같도록 빈칸에 알맞은 말을 써 보자.

1 Whose toothbrush is that?

= _Whose_ is that toothbrush?

2 Whose are these credit cards?

= _____ are these?

3 Which are their pants?

= Which pants are _____ ?

4 Which donkeys are his?

= _____ are his donkeys?

5 Which is your violin?

= _____ is yours?

6 Whose mirror is it?

= _____ is the mirror?

7 Whose is this TV antenna?

= _____ is this?

8 Which cell phone is Tom's?

= Which is _____ ?

9 Whose is that onion soup?

= _____ is that?

10 Which is her jacket?

= _____ is hers?

toothbrush 칫솔
credit card 신용카드
pants 바지
donkey 당나귀
mirror 거울
antenna 안테나
onion 양파
jacket 쟈켓

꼭꼭 다지기 3

다음 빈칸에 알맞은 말을 써 넣은 다음, 완전한 문장을 써 보자.

on Sundays 일요일마다
look after 돌보다
curry and rice 카레라이스

2 현재진행형

3 현재진행형

1 누가 일요일마다 교회에 가니?

누가		일요일마다 교회에 가니?
Who	+	goes to church on Sundays?

→ Who goes to church on Sundays?

2 누가 지금 노래하고 있니?

누가		지금 노래하고 있니?
	+	

→ _____

3 누가 그의 방에서 잠을 자고 있니?

누가		그의 방에서 잠을 자고 있니?
	+	

→ _____

4 누가 그 아이를 돌보니?

누가		그 아이를 돌보니?
	+	

→ _____

5 누가 카레라이스를 만드니?

누가		카레라이스를 만드니?
	+	

→ _____

4

다음 빈칸에 알맞은 말을 써 넣은 다음, 완전한 문장을 써 보자.

eraser 지우개
hairpin 머리핀

1 이것은 누구의 목걸이이니?

누구의	목걸이		이것은 ~이니?
whose	*necklace*	+	*is this?*

→ *whose necklace is this?*

2 어느 것이 그의 지우개이니, 이것 또는 저것?

어느 것이		그의 지우개 ~이니,	이것 또는 저것?
	+		

→

3 저 자동차들은 누구의 것이니?

누구의 것		저 자동차들은 ~ 이니?
	+	

→

4 어느 것이 그녀의 머리핀이니, 파란색 또는 빨간색?

어느 것이		그녀의 머리핀 ~이니,	파란색 또는 빨간색?
	+		

→

5 그들은 누구의 학생들인가요?

누구의	학생들		그들은 ~인가요?
		+	

→

다음 문장에서 '의문사(+명사)'를 동그라미하고 우리말을 영어로 써 보자.

guide 인솔하다
tourist 관광객
idea 아이디어
open 열다
store 가게
carry milk 우유를 배달하다
grow 기르다
take a shower 샤워하다
sheep 양

1 현재진행형

1 누가 여기서 관광객들을 인솔하고 있니?

⇨ *Who is guiding the tourists here* ?

2 이것은 누구의 아이디어인가요?

⇨ ?

3 누가 너의 가게를 여니?

⇨ ?

4 어느 것이 Tom의 집이니, 새 것 또는 오래된 것?

⇨ , ?

5 누가 우유를 배달하니?

⇨ ?

6 이 CD는 누구의 것이니?

⇨ ?

7 그는 어느 것을 더 좋아하니, 커피 또는 차 중에서?

⇨ , ?

8 그녀는 무슨 꽃을 기르니?

⇨ ?

9 현재진행형

9 누가 샤워하고 있니?

⇨ ?

10 저것들은 누구의 양들이니?

⇨ ?

2

다음 문장에서 '의문사(+명사)'를 동그라미하고 우리말을 영어로 써 보자.

1 다음은 누구의 순서 이니?

⇨ *Whose   turn   is it next* ?

2 누가 줄넘기를 하고 있니?

⇨ ?

3 어느 소년이 너의 가장 좋은 친구이니, Bill 또는 Tom 중에서?

⇨ , ?

4 그 아이들은 어떤 아이스크림을 선택하니, 바닐라 또는 딸기?

⇨ ,

?

5 오늘은 누구의 결혼기념일이니?

⇨ ?

6 그녀는 무슨 과목을 잘하니?

⇨ ?

7 누가 너의 침대를 정리하니?

⇨ ?

8 어느 것이 그녀의 반지니, 금 또는 은?

⇨ , ?

9 누가 우산을 Jane과 함께 쓰고 있니?

⇨ ?

10 저 햄버거는 누구의 것이니?

⇨ ?

---

turn 차례, 순서
jump rope 줄넘기하다
best friend 가장 좋은 친구
select 선택하다
strawberry 딸기
subject 과목
be good at~ ~을 잘하다
make one's bed 침대
정리하다
gold 금
silver 은
share an umbrella with
~와 함께 우산을 쓰다
hamburger 햄버거

2 현재진행형

9 현재진행형

실전Test

[01–02] 다음 빈칸에 들어갈 말로 알맞은 것을 고르시오.

01

_____ do you like better, tennis or golf?

① who ② what
③ when ④ why
⑤ which

01
범위가 정해져 있는 것 중에서 선택할 때 쓸 수 있는 의문사가 들어가야 알맞다.

02

A : _____ wears a yellow coat?

B : The fire fighter wears a yellow coat.

① Which ② Where
③ Why ④ Whose
⑤ Who

03 다음 문장에 대한 대답으로 알맞은 것은?

What does your grandfather do?

① He is not Korean.
② He is eighty years old.
③ He is not my father.
④ He is a lawyer.
⑤ He is in the garden.

03
직업을 묻고 있으므로 대답 속에 직업이 들어 있어야 한다.

lawyer 변호사

04 다음 질문에 대한 대답으로 알맞지 <u>않은</u> 것은?

> A : Look at that!　What is it on the table?
>
> B : _____

① It is a dragonfly.
② It is in the kitchen.
③ It is a big mouse.
④ It is Tom's dog.
⑤ It is a box of candies.

05 다음 빈칸에 What이 들어가기에 알맞지 <u>않은</u> 것은? (2개)

① _____ are those?
② _____ are you doing now?
③ _____ do you live?
④ _____ does he do?
⑤ _____ tall are you?

06 다음 대화의 빈칸에 들어갈 말이 순서대로 바르게 짝지어진 것은?

> *Susan* : _____ is that man?
>
> *Bob* : He is my uncle.
>
> *Susan* : _____ is his name?
>
> *Bob* : His name is Tom.
>
> *Susan* : _____ does he do?
>
> *Bob* : He is a cook.

① Who - Why - Where
② What - Who - Which
③ How - When - Who
④ Who - What - What
⑤ Who - What - Who

06

who는 신분, 이름, 가족 관계를 묻는 표현이다.

07 다음 빈칸에 들어갈 말로 알맞은 것은?

> · Whose house is this?
>
> = _____ is this house?

① Who   ② Whose
③ Whom   ④ Who's
⑤ What

08 다음 중 문장의 의미가 나머지와 <u>다른</u> 하나는?

① What does he do?
② What is his job?
③ What is he doing now?
④ What does he do for a living?
⑤ What is his occupation?

09 다음 빈칸에 들어갈 말이 순서대로 바르게 짝지어진 것은?

> · _____ subject do you like, math or English?
>
> · _____ size is your coat?

① Which - Which   ② What - What
③ Which - What   ④ Which - How
⑤ How - What

10 다음 밑줄 친 부분을 묻는 의문사로 알맞은 것은?

> She walks a dog <u>in the evening</u>.

① What   ② How often
③ When   ④ which
⑤ Why

10
때를 묻는 의문사가
필요하다.

다음 질문에 알맞은 대답을 보기에서 골라 써 보자. (2가지 가능)

| 보기 | Mr. Brown's car.
Yellow.
My mom's.
At 10.
Fall.
Jenny.
This.

1 Who remembers his car number?

   –   .

2 Whose car is that?

   –   .

3 What season does he like?

   –   .

4 Whose is the cell phone?

   –   .

5 Which do you want, this or that?

   –   .

6 What time do you go to bed?

   –   .

7 Which one is your umbrella, red or yellow?

   –   .

Unit **04**

의문부사 (1)

문장 내에서
부사의 역할을 하는 의문사를
의문부사라고 한다.

의문부사(1)

의문부사란?

문장 내에서 형용사나 부사를 꾸며주는 부사의 역할을 하는 의문사를 의문부사라고 한다.

의문사와 함께 한 가족처럼 움직이는 것을 '의문사 덩어리'라고 부르기로 하자. 이 의문사 덩어리는 의문사처럼, 의문사의 세 가지 특징을 그대로 갖고 있으며 그 중 「의문사는 문장 첫 머리에 온다」에 따라 문장 맨 앞에 온다.

 1 'How + 형용사 / 부사 ~?'는 '얼마나 ~한 / 하게'의 뜻으로 나이, 키, 거리, 깊이, 넓이, 횟수… 등을 나타낼 때 쓰인다.

ex. 너의 집은 얼마나 멀리 있니(머니)?

의문사 덩어리와 의문문 나누기

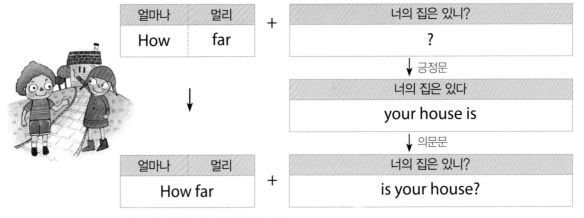

의문사 덩어리와 의문문 합치기

→ How far is your house? – It takes 10 minutes by bus. 버스로 10분 걸려.

How old, How long, How tall, How deep, How wide로 시작하는 질문은 대답에도 old, long, tall, deep, wide를 붙여 준다.

how old	얼마나 나이가 많은	how long	얼마나 긴
how tall	얼마나 키가 큰	how deep	얼마나 깊은
how wide	얼마나 넓은		

ex. **How old** is she? – She is seven years **old**.

 How tall is she? – She is 160 centimeters **tall**.

How many, How much (얼마나 많은)

How many + 셀 수 있는 명사 (복수형) ~?

ex. 너는 몇 권의(얼마나 많은) 책(들)을 가지고 있니?

의문사 덩어리와 의문문 나누기

얼마나	많은	책(들)을
How	many	books

+

너는 가지고 있니?
?

↓ 긍정문

너는 가지고 있다
you have

↓ 의문문

얼마나	많은	책(들)을
How	many	books

+

너는 가지고 있니?
do you have?

Tip!

우리말에서는 보통 복수를 나타내는 말(들)을 생략하여 '얼마나 많은 책을'이라고 말하지만 정확히 복수를 나타내어야 하므로 '얼마나 많은 책들을'이 되어, How many 다음에 오는 명사는 반드시 셀 수 있는 복수명사가 와야 한다.

의문사 덩어리와 의문문 합치기

→ How many books do you have?   – Three books. 3권 가지고 있어.

How much + 셀 수 없는 명사 ~?

ex. 너는 얼마나 많은 빵을 먹니?

의문사 덩어리와 의문문 나누기

얼마나	많은	빵을
How	much	bread

+

너는 먹니?
?

↓ 긍정문

너는 먹는다
you eat

↓ 의문문

얼마나	많은	빵을
How	much	bread

+

너는 먹니?
do you eat?

Tip!

가격을 물을 때는 'How much (money) + be동사 + 물건?'으로 묻는데 How much 뒤의 money는 흔히 생략되었다고 생각하면 된다.

이 때, 물건이 단수이면 is, 복수이면 are을 쓴다.

ex. How much is this notebook?
이 공책은 얼마인가요?

How much are these notebooks?
이 공책들은 얼마인가요?

의문사 덩어리와 의문문 합치기

→ How much bread do you eat?   – Two loaves of bread. 두 덩어리의 빵을 먹어.

다음 예시와 같이 빈칸에 순서대로 알맞은 말을 써 보고 대답도 완성해 보자.

1 그 뱀은 얼마나 기니?

snake 뱀

의문사 덩어리와 의문문 나누기

얼마나	긴	
① How	② long	

+

그 뱀은 ~이니?
?

↓ 긍정문

그 뱀은 ~이다
③ the snake is

↓ 의문문

얼마나 긴
⑤ How long

+

그 뱀은 ~이니?
④ is the snake?

의문사 덩어리와 의문문 합치기

→ ⑥ <u>How long is the snake?</u>

– It is two meters ⑦ <u>long</u> . 그것은 길이가 2미터이다.

2 너의 선생님은 몇 살이시니(얼마나 나이 드셨니)?

의문사 덩어리와 의문문 나누기

얼마나	나이 든	
①	②	

+

너의 선생님은 ~이니?
?

↓ 긍정문

너의 선생님은 ~이다
③

↓ 의문문

얼마나 나이 든
⑤

+

너의 선생님은 ~이니?
④

의문사 덩어리와 의문문 합치기

→ ⑥ _____

– He is 50 years ⑦ _____ . 그는 50세이시다.

3 너는 얼마나 자주 기도하니?

의문사 덩어리와 의문문 나누기

얼마나	자주
①	②

+

너는 기도하니?
?

↓ 긍정문

너는 기도한다
③

↓ 의문문

얼마나 자주
⑤

+

너는 기도하니?
④

의문사 덩어리와 의문문 합치기

→ ⑥ _____

　　－ ⑦ _____ a week. 일주일에 두 번.

4 이 우물은 얼마나 깊니?

의문사 덩어리와 의문문 나누기

얼마나	깊은
①	②

+

이 우물은 ~이니?
?

↓ 긍정문

이 우물은 ~이다
③

↓ 의문문

얼마나 깊은
⑤

+

이 우물은 ~이니?
④

의문사 덩어리와 의문문 합치기

→ ⑥ _____

　　－ 120 meters ⑦ _____ . 깊이가 120미터이다.

다음 예시와 같이 빈칸에 순서대로 알맞은 말을 써 보고 대답도 완성해 보자.

often 자주
pray 기도하다
twice 두번
deep 깊은, 깊게
well 우물

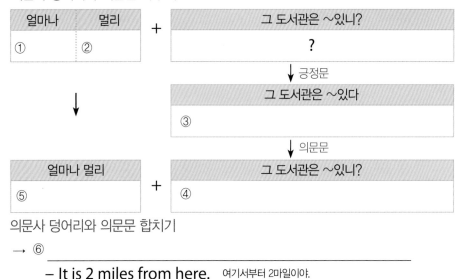

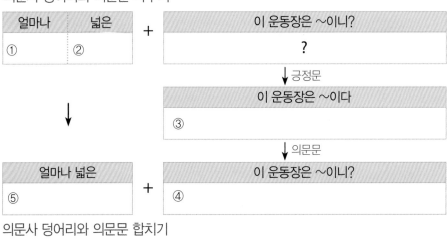

기초다지기 ③

다음 예시와 같이 빈칸에 순서대로 알맞은 말을 써 보고 대답도 완성해 보자.

library 도서관
wide 넓은

5 그 도서관은 얼마나 멀리 있니(머니)?

의문사 덩어리와 의문문 나누기

얼마나	멀리
①	②

+

그 도서관은 ~있니?
?

↓ 긍정문

그 도서관은 ~있다
③

↓ 의문문

얼마나 멀리
⑤

+

그 도서관은 ~있니?
④

의문사 덩어리와 의문문 합치기

→ ⑥ _____

– It is 2 miles from here.   여기서부터 2마일이야.

6 이 운동장은 얼마나 넓니?

의문사 덩어리와 의문문 나누기

얼마나	넓은
①	②

+

이 운동장은 ~이니?
?

↓ 긍정문

이 운동장은 ~이다
③

↓ 의문문

얼마나 넓은
⑤

+

이 운동장은 ~이니?
④

의문사 덩어리와 의문문 합치기

→ ⑥ _____

– It is 100 meters ⑦ _____ 80 meters ⑧ _____

길이가 100미터 넓이가 80미터이다.

4

다음 예시와 같이 빈칸에 순서대로 알맞은 말을 써 보고 대답도 완성해 보자.

singer 가수
song 노래
sing 노래하다

1 이 펜은 얼마니?

의문사 덩어리와 의문문 나누기

얼마나	많은	돈
① How	② much	✕

+

이 펜은 ~이니?
?

↓ 긍정문

이 펜은 ~이다
③ this pen is

↓ 의문문

얼마나 많은
⑤ How much

+

이 펜은 ~이니?
④ is this pen?

의문사 덩어리와 의문문 합치기

→ ⑥ <u>How much is this pen?</u>

2 그 가수는 몇 곡의(얼마나 많은) 노래를 부르니?

의문사 덩어리와 의문문 나누기

얼마나	많은	노래를
①	②	③

+

그 가수는 부르니?
?

↓ 긍정문

그 가수는 부른다
④

↓ 의문문

몇 곡의 노래를
⑥

+

그 가수는 부르니?
⑤

의문사 덩어리와 의문문 합치기

→ ⑦ _____

다음 예시와 같이 빈칸에 순서대로 알맞은 말을 써 보고 대답도 완성해 보자.

snowman 눈사람
word 단어
memorize 암기하다

3 현재진행형

3 그들은 몇 개의(얼마나 많은) 눈사람을 만들고 있니?

의문사 덩어리와 의문문 나누기

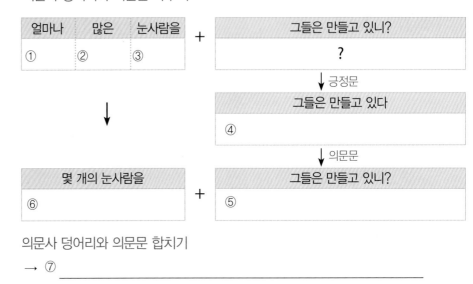

의문사 덩어리와 의문문 합치기

→ ⑦ _____

4 그녀는 몇 개의(얼마나 많은) 단어를 암기하니?

의문사 덩어리와 의문문 나누기

의문사 덩어리와 의문문 합치기

→ ⑦ _____

다음 예시와 같이 빈칸에 순서대로 알맞은 말을 써 보고 대답도 완성해 보자.

honey 꿀
need 필요하다

5 그는 얼마나 많은 우유를 마시니?

의문사 덩어리와 의문문 나누기

얼마나	많은	우유를
①	②	③

\+

그는 마시니?
?

↓ 긍정문

그는 마신다
④

↓ 의문문

얼마나 많은 우유를
⑥

\+

그는 마시니?
⑤

의문사 덩어리와 의문문 합치기

→ ⑦ _____

6 너는 얼마나 많은 꿀이 필요하니?

의문사 덩어리와 의문문 나누기

얼마나	많은	꿀이
①	②	③

\+

너는 필요하니?
?

↓ 긍정문

너는 필요하다
④

↓ 의문문

얼마나 많은 꿀이
⑥

\+

너는 필요하니?
⑤

의문사 덩어리와 의문문 합치기

→ ⑦ _____

다음 빈칸에 알맞은 말을 써 넣은 다음, 완전한 문장을 써 보자.

subway station 지하철역

1 일이 얼마나 잘 되고 있니?

얼마나	잘		그것은 돌아가니?
How	well	+	does it work?

→ _____

2 이 다리는 얼마나 기니?

얼마나	긴		이 다리는 ~이니?
		+	

→ _____

3 지하철역은 얼마나 머니(멀리 있니)?

얼마나	멀리		지하철역은 ~있니?
		+	

→ _____

4 엄마의 사랑은 얼마나 깊니?

얼마나	깊은		엄마의 사랑은 ~이니?
		+	

→ _____

5 그 소년은 얼마나 키가 크니?

얼마나	키가 큰		그 소년은 ~이니?
		+	

→ _____

2

다음 빈칸에 알맞은 말을 써 넣은 다음, 완전한 문장을 써 보자.

America 미국
handbag 핸드백, 손가방

1 미국은 얼마나 넓니?

얼마나	넓은		미국은 ~이니?
How	wide	+	is America?

→ _____

2 그녀는 얼마나 자주 손을 씻니?

얼마나	자주		그녀는 손을 씻니?
		+	

→ _____

3 그 나무는 얼마나 오래 되었니(늙었니)?

얼마나	늙은		그 나무는 ~이니?
		+	

→ _____

4 그들은 몇 살이니? (얼마나 나이 들었니?)

얼마나	나이 든		그들은 ~이니?
		+	

→ _____

5 이 핸드백은 얼마 (얼마나 많은 돈) 이니?

얼마나	많은	돈		이 핸드백은 ~이니?
			+	

→ _____

다음 빈칸에 알맞은 말을 써 넣은 다음, 완전한 문장을 써 보자.

country 나라
hour 시간
practice 연습하다
eat out 외식하다
time 번, 횟수
Mr. Williams
Williams 선생님
hot dog 핫도그

1 Minho와 Sumi는 몇 개의(얼마나 많은) 나라를 방문하니?

얼마나	많은	나라를		민호와 수미는 방문하니?
How	many	countries	+	do Minho and Sumi visit?

→ _How many countries do Minho and Sumi visit?_

2 너는 얼마나 많은 시간을 연습하니?

얼마나	많은	시간을		너는 연습하니?
			+	

→ _____

3 Bob은 몇 번(얼마나 많은 횟수를) 외식을 하니?

얼마나	많은	횟수를		Bob은 외식을 하니?
			+	

→ _____

4 Williams 선생님은 몇 명의(얼마나 많은) 학생들을 가르치니?

얼마나	많은	학생들을		Williams선생님은 가르치니?
			+	

→ _____

5 현재진행형

5 그 어린이는 몇 개의 핫도그를 먹고 있니?

얼마나	많은	핫도그들을		그 어린이는 먹고 있니?
			+	

→ _____

4

다음 빈칸에 알맞은 말을 써 넣은 다음, 완전한 문장을 써 보자.

1 그녀는 몇 개의(얼마나 많은) 수업을 받니?

얼마나	많은	수업을
How	many	classes

+

그녀는 받니?
does she take?

→ _How many classes does she take?_

2 그들은 몇 개의(얼마나 많은) 햄버거를 파니?

얼마나	많은	햄버거를

+

그들은 파니?

→ _____

3 Jane은 몇 명의(얼마나 많은) 친구들을 가지고 있니?

얼마나	많은	친구들을

+

Jane은 가지고 있니?

→ _____

4 그 요리사는 얼마나 많은 기름을 사용하니?

얼마나	많은	기름을

+

그 요리사는 사용하니?

→ _____

5 너는 몇 마리의(얼마나 많은) 개를 기르니?

얼마나	많은	개를

+

너는 기르니?

→ _____

hamburger 햄버거
use 사용하다
oil 기름
raise 기르다

다음 문장에서 의문사 덩어리를 동그라미하고 우리말을 영어로 써 보자.

hair salon 미용실
once 한 번
sausage 소시지
about 약
feet 피트
garden 정원
toy 장난감
dollar 달러
next 다음
service 휴게소
have headaches
두통이 있다
cathedral 성당

1 너의 아빠는 (몇 살)이시니? — 40살이셔.

⇨ *How old*   *is your dad*   ? – Forty years   *old*   .

2 너의 엄마는 얼마나 자주 미용실에 가니?

⇨   ?

3 그 소시지는 얼마나 기니? — 1m야.

⇨   ? – 1m   .

4 Jane은 얼마나 키가 크니? — 160cm야.

⇨   ? – 160cm   .

5 이 바다는 얼마나 깊니? — 약 300 피트야.

⇨   ? – About 300 feet   .

6 그 정원은 얼마나 넓으니? — 길이가 10 미터 넓이가 20 미터야.

⇨   ? – 10 meters

— 20 meters   .

7 이 장난감은 가격이 얼마니? — 50 달러야

⇨   ? –   .

8 다음 휴게소는 얼마나 멀리 있니? — 한 시간 걸려.

⇨   ? – It takes   .

9 너는 얼마나 자주 두통이 (가지고)있니? — 일주일에 한 번.

⇨   ? –   a week.

10 이 성당은 얼마나 오래 되었니? — 약 400년 정도.

⇨   ? – About 400 years   .

2

다음 문장에서 의문사 덩어리를 동그라미하고 우리말을 영어로 써 보자.

1 Peter는 (얼마나 많은 돈을) 빌리니?

⇨ *How much money* *does Peter borrow* ?

2 그는 얼마나 많은 밀가루가 필요하니?

⇨ ?

3 Jane은 얼마나 많은 사과를 따니?

⇨ ?

4 그는 얼마나 많은 자동차를 수리하니?

⇨ ?

5 그녀는 얼마나 많은 방을 청소하니?

⇨ ?

6 너희들은 얼마나 많은 탄산음료를 마시니?

⇨ ?

7 한 사람이 얼마나 많은 물을 쓰니?

⇨ ?

8 그 집은 얼마나 많은 창문을 가지고 있니(창문이 있니)?

⇨ ?

9 그녀는 얼마나 많은 그림을 그리니?

⇨ ?

10 Tom은 얼마나 많은 사람들을 만나니?

⇨ ?

flour 밀가루
pick 따다
repair 수리하다
clean 청소하다
soda 탄산음료
spend 소비하다, 쓰다
draw 그리다
person 사람

01 다음 중 영어 표현과 그것의 쓰임이 바르지 <u>않은</u> 것은?

① How far - 거리를 물을 때
② How old - 나이를 물을 때
③ How long - 길이를 물을 때
④ How deep - 넓이를 물을 때
⑤ How tall - 키를 물을 때

02 다음 빈칸에 들어갈 말로 알맞지 <u>않은</u> 것은?

> How many _____ does he sell in a day?

① cameras
② salt
③ pencils
④ rings
⑤ cell phones

02

How many+셀 수 있는 명사

a day 하루에

03 다음 빈칸에 들어갈 말로 알맞은 것은?

> How _____ Coke do you drink every day?

① long
② far
③ many
④ deep
⑤ much

03

Coke는 셀 수 없는 명사 이다.

04 다음 우리말과 같도록 주어진 단어를 이용하여 영어로 쓰시오.

> 그는 몇 개의 책상을 만드니?
>
> (many, he, how, desks, does, make)

⇨ _____ ?

04

How many+복수명사+
일반동사 의문문

plant 심다

[05–06] 우리말과 같도록 빈칸에 알맞은 말을 쓰시오.

05

> Judy는 매 년 몇 그루의 나무를 심니?
>
> → How _____ trees _____ Judy plant every year?

06

> 너는 얼마나 많은 치즈를 만드니?
>
> → How _____ cheese _____ you _____ ?

07 다음 빈칸에 들어갈 말이 순서대로 바르게 짝지어진 것은?

> · How much _____ this bag?
>
> · How much _____ these bags?

① is - is   ② is - are

③ are - are   ④ are - is

⑤ is - do

08 다음 문장 중 바르지 <u>않은</u> 것은?

① How many books do you read?

② How many CDs does his brother buy?

③ How many songs does the girl sing?

④ How many kite do they fly?

⑤ How many friends does she have?

09 다음 빈칸에 들어갈 말로 알맞은 것은?

> A : _____
>
> B : It takes 10 minutes.

① How old is your sister?
② How deep is this pond?
③ How tall is Jinho?
④ How long is this pencil?
⑤ How far is the stationery?

09

B의 대답이 '10분 걸린다'라는 의미이므로, '얼마나 멀리 있는가?'를 묻는 질문이 필요하다.

stationery 문방구

10 다음 빈칸에 들어갈 말이 순서대로 바르게 짝지어진 것은?

> · How tall is Tom?
>   – He is five feet _____.
>
> · How old is your sister?
>   – She is seven years _____.

① long - old   ② tall - old
③ tall - long   ④ tall - far
⑤ long - far

다음 질문에 알맞은 대답을 보기에서 골라 써 보자.

| 보기 | Seven kilometers long.

Twelve years old.

100 miles far from here.

Two hundred dollars.

Once a week.

About 30 meters deep. about 약 대략

150 centimeters tall.

1 How long is this bridge?

– .

2 How often do you take a bath?

– .

3 How far is the hospital?

– .

4 How old are you?

– .

5 How tall is the kid?

– .

6 How deep is this lake?

– .

7 How much is this bag?

– .

- # Review Test 1
- # 내신대비 1

01 의문사를 동그라미하고 우리말에 알맞게 주어진 단어를 나열해 보자.

1 그녀는 누구를 사랑하니?

Who   ?

(she, does, love)

2 그들은 어디서 농구를 하니?

Where   ?

(play, they, basketball, do)

3 너는 언제 점심을 먹니?

When   ?

(lunch, do, have, you)

4 Jane은 왜 슬퍼 보이니?

Why   ?

(look, does, sad, Jane)

5 너는 무엇을 원하니?

What   ?

(want, you, do)

6 그는 어디에 사니?

Where   ?

(he, live, does)

7 Paul은 누구를 만나니?

Who(m)   ?

(meet, does, Paul)

8 그것은 맛이 어떻습니까?

How   ?

(it, taste, does)

02 의문사를 동그라미하고 우리말에 알맞게 문장을 완성해 보자.

1 그녀는 그녀의 손에 무엇을 가지고 있니?

in her hand?

2 너는 방과 후 어디에서 공부하니?

after school?

3 Tom은 언제 집에 오니?

home?

4 Jane은 주말에 누구를 초대하니?

on weekend?

5 너는 왜 병원에 가니?

to hospital?

6 나는 거기에 어떻게 가니?

there?

7 너는 어디를 보고 있니? look at 보다

at?

8 삼촌은 무엇을 찾고 있는 중이니? look for 찾다

for?

9 그는 무엇이 필요하니?

?

10 당신은 이 사과들을 어떻게 팝니까? (얼마씩에 팝니까?)

these apples?

01 의문사를 동그라미하고 우리말에 알맞게 주어진 단어를 나열해 보자.

1 그녀는 어디에 있니?   (where, she, is)

_____?

2 너의 생일은 언제이니?   (is, your birthday, when)

_____?

3 그는 왜 화가 나 있니?   (why, upset, he, is)

_____?

4 너의 아빠의 직업은 무엇이니?   (your father's job, what, is)

_____?

5 날씨는 어떠니?   (is, how, the weather)

_____?

6 그는 누구이니?   (is, he, who)

_____?

7 그 상자는 무엇이니?   (what, the box, is)

_____?

8 John의 엄마는 어떠니?   (is, John's mom, how)

_____?

9 도서관은 어디에 있니?   (is, the library, where)

_____?

10 그의 선물들은 무엇이니?   (what, his presents, are)

_____?

02 의문사를 동그라미하고 우리말에 알맞게 문장을 완성해 보자.

1 이것은 무엇이니?

?

2 너는 지금 어디에 있니?

now?

3 누가 화장실에 있니?

in the bathroom?

4 너의 할머니는 어떠시니?

?

5 누가 너의 여동생이니?

?

6 그는 왜 흥분해 있니?   흥분해 있는 excited

?

7 그녀의 결혼기념일은 언제이니?   wedding day 결혼기념일

?

8 그들은 왜 피곤하니?

?

9 너의 학교는 어디니?

?

10 저것들은 무엇이니?

?

01 ( ) 안의 동사를 이용하여 우리말에 알맞게 문장을 완성해 보자

1 _____ the car? (drive)
누가 차를 운전하니?

2 _____ the apples? (pick)
누가 사과를 따니?

3 _____ in the room? (am)
누가 방안에 있니?

4 _____ the dishes? (do)
누가 설거지를 하니?

5 _____ dinner?(cook)
누가 저녁식사를 요리하고 있는 중이니?

02 직업을 물어보는 같은 표현들을 써 보자.

What do you do (for a living)?

= What _____?

= What _____?

03 다음 ( ) 안에서 알맞은 의문사를 골라 동그라미 해 보자.

1 (Who, What) is he?   He is Tom.

2 (Who, What) is she?   She is my sister.

3 (Who, What) does he do?   He is a barber.   barber 이발사

4 (Who, What) does Jane do?   She is a teacher.

5 (Who, What) are they?   They are Jane's cousins.   cousin 사촌

04 다음 What과 which 중에서 알맞은 의문사를 써 보자.

1 _____ is yours, this or that?

2 _____ is her job?

3 _____ is her job, a scientist, a teacher or an engineer?

4 _____ subject do you like, English or math?

5 _____ subject do you like?

05 다음 두 문장이 같은 뜻이 되도록 빈칸을 채워 보자.

1 Whose pen is this?

= Whose is _____ ?

2 Whose house is that?

= Whose is _____ ?

3 Whose is this bag?

= Whose bag is _____ ?

4 Which cap is yours, this or that?

= Which is _____ , this or that?

5 Which are Jane's shoes, these or those?

= Which shoes are _____ , these or those?

01　우리말에 알맞게 주어진 단어를 나열해 보자.

1　그 강은 얼마나 기니?

_____?

(long, the river, is, how)

2　그들은 얼마나 자주 농구를 하니?

_____?

(play, they, how, basketball, do, often)

3　Jane은 몇 살이니?

_____?

(Jane, is, old, how)

4　이 우물은 얼마나 깊니?

_____?

(how, this well, is, deep)

5　빵집은 얼마나 머니?

_____?

(the bakery, is, far, how)

02　주어진 물음에 알맞은 대답을 완성해 보자.

1　How old is your grandmother? – She is 100 years _____ .

2　How tall is he? – He is 180 centimeters _____ .

3　How deep is this pond? – It is 30 feet _____ .

4　How long is this bridge? – It's 1.5 kilometers _____ .

03 다음 우리말에 알맞게 문장을 완성해 보자.

1 How _____ the post office?

그 우체국은 얼마나 머니(멀리 있니)?

2 _____ your uncle?

너의 삼촌은 몇 살이시니(얼마나 나이 드셨니)?

3 How _____ the tree?

그 나무는 얼마나 키가 크니?

4 How _____ the train?

그 기차는 얼마나 기니?

5 How _____ to the library?

그녀는 얼마나 자주 도서관에서 가니?

04 다음 우리말에 알맞게 문장을 완성해 보자.

1 How _____ friends _____ Tom have ?

Tom은 얼마나 많은 친구들을 가지고 있니?

2 How _____ milk _____ Bill drink?

Bill은 얼마나 많은 우유를 마시니?

3 How _____ money _____ you need?

너는 얼마나 많은 돈이 필요하니?

4 How _____ pigs _____ they keep?

그들은 얼마나 많은 돼지를 기르니?

5 How _____ people _____ yoga?

얼마나 많은 사람들이 요가를 하니?

01 다음 ( ) 안에 알맞은 의문사는?

> _____ does she live?
>
> – She lives in L.A.

① Who
② What
③ Where
④ When
⑤ Why

02 다음 우리말과 같도록 할 때, 빈칸에 들어갈 말이 순서대로 바르게 짝지어진 것을 고르시오.

> _____ _____ he_____ ?
>
> 그는 무엇을 마시고 있니?

① What- does- drink
② What- do- drinks
③ What- does- drinking
④ What- is - drinking
⑤ What- is - drink

03 다음 질문에 알맞은 답을 고르시오.

> When is your birthday?

① Yes, I am.
② August 20.
③ Yes, it is.
④ No, it doesn't.
⑤ No, you are not.

04 다음 대화의 빈칸에 들어갈 말로 알맞은 것은?

> A : _____
>
> B : He is my brother.

① When does he go to bed?
② How are you?
③ Who is the boy?
④ Where are you going?
⑤ What is the weather like?

05 다음 대화에서 빈칸에 알맞은 의문사는?

> A : _____ is your dad?
>
> B : He is fine.

① Why
② How
③ Who
④ Where
⑤ What

06 다음 ( ) 안의 단어를 우리말에 맞게 배열해 보자.

> Jane은 매일 누구에게 전화하니?
> (Jane, everyday, whom, does, call)

⇨ _____

_____

07 다음 문장에서 틀린 곳을 바르게 고쳐 써 보자.

> When your birthday is?

_____ ⇨ _____

08 다음 어법상 옳은 것은?

① Why she goes to see a doctor?
② Why she go to see a doctor?
③ Why is she go to see a doctor?
④ Why do she go to see a doctor?
⑤ Why does she go to see a doctor?

09 다음 ( ) 안에 들어갈 알맞은 말은?

> A : Where _____ your
>
> parents now?
>
> B : They are at home.

① do
② does
③ is
④ are
⑤ did

10 다음 질문에 대한 대답으로 알맞은 것은?

> What does her uncle do?

① He is a bus driver.
② He is fine.
③ Yes, he is.
④ No, she isn't.
⑤ He likes skiing.

11 다음 대답에 대한 질문으로 알맞은 것은?

> It is rainy here.

① Where is the post office?
② When is her birthday?
③ Why do you study English?
④ What do you want?
⑤ How is the weather there?

12 다음 빈칸에 들어갈 말로 알맞은 것을 고르면?

> A : _____ is she?
> B : She is my aunt.

① who
② what
③ when
④ where
⑤ whose

13 다음 대답에 대한 질문으로 알맞지 <u>않은</u> 것은?

> A : _____
> B : He is a fire fighter.

① What does he do?
② What does he do for a living?
③ What is he doing now?
④ What is his job?
⑤ What is his occupation?

14 다음 빈칸에 들어갈 말로 알맞은 것을 고르면?

> _____ drink do you like, juice or milk?

① who
② what
③ whose
④ when
⑤ which

15 다음 중 어법상 옳지 <u>않은</u> 것을 고르면?

① Who teaches English?
② Who takes care of you?
③ Who sends the memo to me?
④ How many doctor works in the hospital?
⑤ How many girls are in the clothing store?

clothing store 옷가게

16 다음 빈칸에 들어갈 말로 옳은 것은?

> Which is your bag?
> = _____ is yours?

① Which one
② Where
③ Which bag
④ Whose
⑤ Whose bag

17 다음 빈칸에 ( ) 안의 단어를 사용하여, 우리 말에 알맞은 말을 써 넣어보자.

> 너는 어떤 모자를 좋아하니, 이것이니 저것 이니? (cap, like)
>
> _____,
>
> this or that?

18 다음 대화 중 빈칸에 들어갈 말이 순서대로 바르게 짝지어진 것은?

> A : _____ _____ is she?
> B : She is 10 years old.
> A : _____ _____ is he?
> B : He is 150 cm tall.

① How long - How old
② How year - How long
③ How old - How tall
④ How old - What tall
⑤ How long - How far

19 다음 빈칸에 들어갈 말로 알맞은 것은?

> A : _____
> B : once a week. 일주일에 한 번

① How long is the bridge?
② How old is your dad?
③ How deep is the river?
④ How often do you clean your room?
⑤ How far is the subway station?

subway station 지하철역

20 다음 빈칸에 들어갈 말로 알맞지 <u>않은</u> 것은?

> How many _____ do they sell every day?

① apples
② cheese
③ balls
④ eggs
⑤ cookies

21 다음 빈칸에 들어갈 말로 알맞은 것은?

> How _____ salt do you put in the food?

① long
② far
③ many
④ deep
⑤ much

22 우리말과 같도록 빈칸에 알맞은 말을 써 보자.

> 너는 일 년에 몇 권의 책을 사니?
> → How _____ _____ do you buy in a year?

23 다음 우리말과 같도록 주어진 단어를 배열해 보자.

> 코끼리는 한 번에 얼마나 많은 물을 마시니?
> → (an elephant, at a time, how, water, drink, much, does)

⇨ _____

_____ ?

at a time 한번에

24 다음 대답에 맞는 질문을 완성해보자.

> A : _____ _____ _____
> does he sleep in a day?
> B : He sleeps 8 hours a day.

25 직업을 묻는 표현으로 옳은 것 세 가지를 고르면?

① Which is your job?
② What is your occupation?
③ What do you do?
④ What is your job?
⑤ Which is your occupation?

Unit 05

의문부사 (2)

문장 내에서 부사의 역할을 하는
의문사를 의문부사라고 한다.

의문부사 (2)

How many와 How much

'How many + 셀 수 있는 명사'는 복수 취급하고, 'How much + 셀 수 없는 명사'는 단수로 취급하므로, 문장에서 이들이 주어로 올 경우, 이에 따라 동사의 형태가 결정된다.

1 How many/much + 명사와 there is/are

> How many + 복수명사 + are (there) ~?

ex. 얼마나 많은 책들이 **책상 위에 있니?**

의문사 덩어리와 의문문 나누기

얼마나	많은	책들이
How	many	books

+

책상 위에 있니?
?

↓ 긍정문

책상 위에 ~있다
there are ~ on the desk

↓ 의문문

몇 권의 책들이
How many books

+

책상 위에 있니?
are there on the desk?

의문사 덩어리와 의문문 합치기

→ **How many books are (there) on the desk?**

  – Two (books). 2권.

  – There are two books on the desk. 책상 위에 2권의 책이 있다.

be동사의 뜻 가운데 「~이 있다」가 있으므로 there를 생략할 수 있다.

ex. How many books **are** on the desk?

> **Tip!** 'How many/much + 명사'가 문장의 주어가 되므로 주어의 수에 따라 동사의 형태가 결정된다.
>
> <u>How many + 복수명사</u> + 복수동사   <u>How much + 셀 수 없는 명사</u> + 단수동사
>   주어(복수)   주어(단수)

How much + 셀 수 없는 명사 + is (there)~?

ex. 병 안에 얼마나 많은 주스가 있니?

의문사 덩어리와 의문문 나누기

얼마나	많은	주스가
How	much	juice

+

병 안에 있니?
?

↓ 긍정문

병 안에 ~ 있다
there is ~ in the bottle

↓ 의문문

얼마나 많은 주스가
How much juice

+

병 안에 있니?
is there in the bottle?

의문사 덩어리와 의문문 합치기

→ **How much juice** is (there) in the bottle?

How many/much + 명사 + 동사~?

'How many/much + 명사'가 문장의 주어로 오는 경우, 의문사 덩어리가 주어가 되므로, '의문사 + 의문문'의 형태가 올 필요 없이 의문사 덩어리(주어) 다음에 동사를 쓴다.

How many + 복수 + 동사원형 ~?

ex. 얼마나 많은 학생들이 **소풍을 가니?**

얼마나	많은	학생들이
How	many	students

+

소풍을 가니?
go on a picnic?

→ **How many students go** on a picnic?

How much + 셀 수 없는 명사 + 3인칭 단수 동사~?

ex. 얼마나 많은 물이 그의 집으로 흘러들어가고 있니?

얼마나	많은	물이
How	much	water

+

그의 집으로 흘러들어가고 있니?
is running into his house?

→ **How much water** is running into his house?

다음 예시와 같이 빈칸에 순서대로 알맞은 말을 써 보자.

season 계절
year 해, 년

1 일 년에는 몇 개의(얼마나 많은) 계절이 있니?

의문사 덩어리와 의문문 나누기

얼마나	많은	계절이
① How	② many	③ seasons

+

일 년에는 있니?
?

↓ 긍정문

일 년에는 있다
④ there are in a year

↓ 의문문

↓

몇 개의 계절이
⑥ How many seasons

+

일 년에는 있니?
⑤ are there in a year?

의문사 덩어리와 의문문 합치기

→ ⑦ <u>How many seasons are (there) in a year?</u>

2 그 공원에는 몇 마리의 개가 있니?

의문사 덩어리와 의문문 나누기

얼마나	많은	개가
①	②	③

+

그 공원에는 있니?
?

↓ 긍정문

그 공원에는 ~ 있다
④

↓ 의문문

↓

몇 마리의 개가
⑥

+

그 공원에는 있니?
⑤

의문사 덩어리와 의문문 합치기

→ ⑦ <u>　　　　　　　　　　　　　　　</u>

2

다음 예시와 같이 빈칸에 순서대로 알맞은 말을 써 보자.

3 그 종이봉투에 얼마나 많은 쌀이 있니?

의문사 덩어리와 의문문 나누기

얼마나	많은	쌀이
①	②	③

+

그 종이봉투에 있니?
?

↓ 긍정문

그 종이봉투에 ~ 있다
④

↓ 의문문

얼마나 많은 쌀이
⑥

+

그 종이 봉투에 있니?
⑤

의문사 덩어리와 의문문 합치기

→ ⑦ _____

rice 쌀
paper bag 종이봉투
refrigerator 냉장고

4 냉장고에는 얼마나 많은 계란들이 있니?

의문사 덩어리와 의문문 나누기

얼마나	많은	계란들이
①	②	③

+

냉장고에는 있니?
?

↓ 긍정문

냉장고에 있다
④

↓ 의문문

얼마나 많은 계란들이
⑥

+

냉장고에는 있니?
⑤

의문사 덩어리와 의문문 합치기

→ ⑦ _____

다음 빈칸에 알맞은 말을 써 넣은 다음, 완전한 문장을 써 보자.

shampoo 샴푸
bottle 병
family 가족
coin 동전
pocket 주머니
blanket 담요

1 그 책상 위에 몇 개의 CD가 있니?

얼마나	많은	CD가		책상 위에 있니?
How	many	CDs	+	are (there) on the desk?

→ How many CDs are (there) on the desk?

2 그 병에는 얼마나 많은 샴푸가 있니?

얼마나	많은	샴푸가		그 병에 있니?
			+	

→ _____

3 너의 가족은 몇 명이니?(너의 가족에는 얼마나 많은 사람들이 있니?)

얼마나	많은	사람이		너의 가족에는 있니?
			+	

→ _____

4 너의 주머니에는 몇 개의 동전이 있니?

얼마나	많은	동전이		너의 주머니에 있니?
			+	

→ _____

5 그 방에 몇 장의 담요가 있니?

얼마나	많은	담요가		그 방에 있니?
			+	

→ _____

다음 빈칸에 알맞은 말을 써 넣은 다음, 완전한 문장을 써 보자.

1 그 동물원에는 몇 마리의 동물이 있니?

얼마나	많은	동물이	+	그 동물원에 있니?
How	*many*	*animals*		*are (there) in the zoo?*

→ ___*How many animals are (there) in the zoo?*___

2 그 접시 위에는 얼마나 많은 치즈가 있니?

얼마나	많은	치즈가	+	그 접시 위에 있니?

→ _____

3 그 서랍 안에는 몇 벌의 셔츠가 있니?

얼마나	많은	셔츠가	+	서랍 안에 있니?

→ _____

4 그 옷가게에는 몇 명의 여자들이 있니?

얼마나	많은	여자들이	+	그 옷가게에는 있니?

→ _____

5 그 사발에 얼마나 많은 올리브유가 있니?

얼마나	많은	올리브유가	+	그 사발에 있니?

→ _____

animal 동물
drawer 서랍
clothing store 옷가게
women 여자들
olive oil 올리브유
bowl 사발

다음 빈칸에 알맞은 말을 써 넣은 다음, 완전한 문장을 써 보자.

be born 태어나다
in a year 한 해에
come out 피다
gas 가스
leak 새다
work for ~에서 근무하다

1 한 해에 몇 명의 아기들이 태어나니?

얼마나	많은	아기들이	+	한 해에 태어나니?
① How	② many	③ babies		④ are born in a year?

→ ⑤ <u>How many babies are born in a year?</u>

2 얼마나 많은 꽃들이 피니?

얼마나	많은	꽃들이	+	피니?
①	②	③		④

→ ⑤ _____

3 현재진행형
gas는 셀 수 없는 명사
이므로 단수로 받는다.

3 얼마나 많은 가스가 새고 있니?

얼마나	많은	가스가	+	새고 있니?
①	②	③		④

→ ⑤ _____

4 몇 명의 간호사들이 그 병원에서 근무하니?

얼마나	많은	간호사들이	+	그 병원에서 근무하니?
①	②	③		④

→ ⑤ _____

5 현재진행형

5 얼마나 많은 사람들이 공원에서 조깅하고 있니?

얼마나	많은	사람들이	+	공원에서 조깅하고 있니?
①	②	③		④

→ ⑤ _____

4

다음 빈칸에 알맞은 말을 써 넣은 다음, 완전한 문장을 써 보자.

1 몇 명의 사람들이 그를 기다리고 있니?

얼마나	많은	사람들이
How	*many*	*people*

+

그를 기다리고 있니?
are waiting for him?

→ *How many people are waiting for him?*

2 몇 명의 아기들이 그 방에서 자고 있니?

얼마나	많은	아기들이

+

그 방에서 자고 있니?

→ _____

3 얼마나 많은 비가 댐으로 들어가니?

얼마나	많은	비가

+

댐으로 들어가니?

→ _____

4 몇 명의 소년들이 미술동아리에 가입하니?

얼마나	많은	소년들이

+

미술동아리에 가입하니?

→ _____

5 얼마나 많은 눈이 내리고 있니?

얼마나	많은	눈이

+

내리고 있니?

→ _____

news 소식
wait for 기다리다
get into ~로 들어가다
dam 댐
join 가입하다
art club 미술 동아리
fall down 떨어지다, 내리다

1 현재진행형

2 현재진행형

5 현재진행형

다음 빈칸에 알맞은 말을 써 넣은 다음, 완전한 문장을 써 보자.

in korea 한국에서
be made 만들어 지다
sell 팔다
be sold 팔리다
drip 똑똑 떨어지다
into the sink 그 싱크대로

1 얼마나 많은 자동차들이 한국에서 만들어지니?

얼마나	많은	자동차들이		한국에서 만들어지니?
How	many	cars	+	are made in Korea?

→ How many cars are made in Korea?

2 현재진행형

2 몇 명의 요리사들이 요리를 하고 있니?

얼마나	많은	요리사들이		요리를 하고 있니?
			+	

→

3 몇 권의 책들이 팔리니?

얼마나	많은	책들이		팔리니?
			+	

→

4 현재진행형

4 몇 마리의 새들이 그 나무 위에 앉아 있니?

얼마나	많은	새들이		그 나무 위에 앉아 있니?
			+	

→

5 현재진행형

5 얼마나 많은 물이 그 싱크대로 똑똑 떨어지고 있니?

얼마나	많은	물이		그 싱크대로 똑똑 떨어지고 있니?
			+	

→

6

다음 빈칸에 알맞은 말을 써 넣은 다음, 완전한 문장을 써 보자.

1 몇 명의 학생들이 일기를 쓰니?

얼마나	많은	학생들이		일기를 쓰니?
How	*many*	*students*	+	*write a diary?*

→ _How many students write a diary?_

keep a diary 일기를 쓰다
pray 기도하다
housewife 주부
choose 선택하다
microwave oven 전자레인지
orphanage 고아원
ground 운동장

2 얼마나 많은 사람들이 매일 기도하니?

얼마나	많은	사람들이		매일 기도하니?
			+	

→ _____

3 몇 명의 주부들이 그 전자레인지를 선택하니?

얼마나	많은	주부들이		그 전자레인지를 선택하니?
			+	

→ _____

4 얼마나 많은 사람들이 고아원을 방문하니?

얼마나	많은	사람들이		고아원을 방문하니?
			+	

→ _____

5 얼마나 많은 아이들이 운동장에서 놀고 있니?

5 현재진행형

얼마나	많은	아이들이		운동장에서 놀고 있니?
			+	

→ _____

다음 문장에서 의문사 덩어리를 동그라미하고 우리말을 영어로 써 보자.

palace 궁전
Seoul 서울
flower shop 꽃가게
jar 항아리
flour 밀가루
mall 쇼핑센터
store 가게, 상점
bathroom 목욕탕, 욕실
towel 타월
sugar 설탕
soft drink 탄산음료
island 섬
country 나라
zebra 얼룩말
field 들판
textbook 교과서
hour 시간
minute 분

1 서울에는 몇 개의 궁궐이 있니?

⇨ *How many palaces   are (there) in Seoul*   ?

2 그 꽃가게에는 얼마나 많은 장미가 있니?

⇨   ?

3 그 항아리에는 얼마나 많은 밀가루가 있니?

⇨   ?

4 그 쇼핑센터에는 몇 개의 가게가 있니?

⇨   ?

5 그 욕실에 몇 장의 수건들이 있니?

⇨   ?

6 얼마나 많은 설탕이 그 탄산음료에 들어있니?

⇨   ?

7 이 나라에는 몇 개의 섬이 있니?

⇨   ?

8 그 들판에는 몇 마리의 얼룩말이 있니?

⇨   ?

9 너의 책가방에는 몇 권의 교과서가 있니?

⇨   ?

10 1시간에는 몇 분이 있니?

⇨   ?

다음 문장에서 의문사 덩어리를 동그라미하고 우리말을 영어로 써 보자.

1 몇 명의 무용수들이 무대에서 춤추고 있니?

⇨ *How many dancers*　*are dancing on the stage* ?

2 몇 명의 사람들이 줄을 서서 기다리고 있니?

⇨ ?

3 얼마나 많은 아이들이 영어로 말하니?

⇨ ?

4 몇 명의 소년들이 운동을 하니?

⇨ ?

5 몇 명의 어린이들이 수영장에서 수영하니?

⇨ ?

6 얼마나 많은 소녀들이 Tom을 둘러싸고 있니?

⇨ ?

7 얼마나 많은 별들이 하늘에서 반짝거리니?

⇨ ?

8 얼마나 많은 마을 사람들이 휴식을 취하니?

⇨ ?

9 얼마나 많은 소방관들이 사람들을 구조하니?

⇨ ?

10 얼마나 많은 사자들이 그늘에 누워 있니?

⇨ ?

in line 줄을 서서
can speak 말할 수 있다
in English 영어로
do the exercise 운동하다
surround 둘러싸다
twinkle 반짝반짝 빛나다
villager 마을 사람들
take a rest 휴식을 취하다
fire fighter 소방관
rescue 구조하다
lie 눕다
in a shade 그늘에

1 현재진행형

2 현재진행형

6 현재진행형

10 현재진행형

01 다음 빈칸에 공통으로 들어갈 말로 알맞은 것은?

> · _____ much is this watch?
>
> · _____ many coins are there in his hand?

① What   ② Who
③ Why   ④ Where
⑤ How

02 다음 우리말과 같도록 빈칸에 알맞은 말을 쓰시오.

> 그 도서관에는 몇 명의 학생들이 있니?
>
> → How many students _____ _____ in the library?

[03~04] 다음 빈칸에 들어갈 말을 |보기|에서 골라 쓰시오.

> |보기| some   any   much   many

03 How _____ salt is there in the bowl?

04 How _____ farmers work in the farm?

05 다음 빈칸에 들어갈 말로 알맞은 것은?

> How many _____ are there in the house?

① door
② window
③ cats
④ tree
⑤ money

06 다음 문장 중 바르지 <u>않은</u> 것은?

① How much snows is in January.
② How many windows are there in the house?
③ How many bedrooms are there in the hotel?
④ How much butter is there on the plate?
⑤ How many dogs run in the field?

06

snow는 셀 수 없는 명사
이다.

정답 및 해설 **p.14**

07 다음 대답에 알맞은 질문이 되도록 빈칸에 알맞은 말을 쓰시오.

A : _____ _____ _____ select this book?

B : A lot of teachers.

07
select 선택하다

08 다음 빈칸에 들어갈 말로 알맞지 <u>않은</u> 것은?

How much _____ is there on the dish?

① butter
② cheese
③ bread
④ apples
⑤ soup

08
much 뒤에는 셀 수 없는 명사가 와야 한다.

O9 다음 빈칸에 들어갈 말로 알맞은 것은?

How much sugar _____ in this jam?

① is   ② are

③ do   ④ does

⑤ can

O9

sugar는 셀 수 없는 명사이다.

1O 다음 대화의 빈칸에 들어갈 질문으로 알맞은 것은?

A : _____
B : There are ten candies in the box.

① How much candy are there in the box?

② How much candies are there in the box?

③ How many candy is there in the box?

④ How many candies are there in the box?

⑤ How many candies is there in the box?

1O

candies는 복수명사이다.

다음 질문에 알맞은 대답을 |보기|에서 골라 써 보자.

	보기		Four seasons.
	About 1550 mm.
	5 churches in this town.
	10 people.
	A little (honey in it). a little 조금
	50 dollars.
	Three cats.

1 How many cats are there in your house?

–

2 How many seasons are in a year?

–

3 How much rain falls in a year?

–

4 How many people are waiting for a bus?

–

5 How much honey is in the jar?

–

6 How many churches are in this town?

–

7 How much money is in your purse?

–

Unit 06

접속사와 명령문

접속사는 단어와 단어,
문장과 문장을 연결해 주는 말이다.

접속사와 명령문

접속사와 명령문

접속사란 단어와 단어, 문장과 문장을 연결해 주는 말로, **and, or, but** 등이 있다.
명령문은 '～해라, ～하시오'의 뜻으로, 지시, 제안, 충고, 설득할 때 쓰인다.

 접속사의 종류

종류	의미	앞 뒤 관계
and	～와, 그리고	비슷한 단어와 단어를 연결할 때
or	또는, 혹은	선택할 때
but	그러나, ～하지만	앞의 사실과 반대되는 내용이 나올 때

▶ **and**

ex. Judy **and** Mary are good students.　　Judy와 Mary는 착한 학생이다.

▶ **or**

ex. Which sport do you like, tennis **or** soccer?　　테니스 혹은 축구 중에서 어느 운동을 좋아하니?

▶ **but**

ex. She is pretty **but** bad.

 명령문

① **긍정 명령문 만들기**

주어를 없애고 동사의 원형을 써 주면 된다.

▶ 일반동사일 경우 : ～해라, ～하시오.

ex. ~~You~~ study English.　너는 영어 공부를 한다.

→ **Study** English.　영어 공부를 해라.
　　동사원형

> **Tip!** 우리말에서 「공부해」라고 상대방에게 명령할 때 주어가 생략되듯이 영어에서도 똑같이 You(주어)를 없애고 동사원형이
> 문장 첫머리에 오게 된다.

▶ be동사일 경우 : ~해라, ~하시오

ex. ~~You~~ are diligent.　　　너는 부지런하다.

　　→　**Be** diligent.　　　부지런해라.
　　　　_{동사원형}

Tip!

am, are, is 의 원형은 be이다.

▶ 권유문 : ~하자, ~합시다.

ex. We open the box.　　　우리가 상자를 연다.

　　→ **Let's** open the box.　　　그 상자를 열자.

• 대답이 긍정일 때 : Yes, let's. / All right. / O.K. / Sure.
• 대답이 부정일 때 : No, let's not. / (I am) Sorry, I can't.

② **부정 명령문 만들기**

▶ be동사, 일반동사 명령문의 부정 : ~하지 마라

　　Don't + 명령문

ex. Go there.

　　→ **Don't go** there.　거기에 가지 마라.

▶ Let's로 시작하는 권유문의 부정 : ~하지 말자

　　Don't + **let's** + 동사원형 / **Let's** + **not** + 동사원형

ex. Let's start it again.　다시 시작하자.

　　→ **Don't let's** start it again.　다시 시작하지 말자.

　　Let's open the box.　그 상자를 열자.

　　→ **Let's not** open the box.　그 상자를 열지 말자.

Tip!

호격과 주어의 차이
호격은 "수민아, 나리야" 하고
부르는 말이고, 주어는 "~은"으
로 해석되는 것으로 동사의 주
체가 되는 말이다.

ex. Tom, go to church.
　　_{호격}
　　Tom, 교회에 가거라.

　　Tom goes to church.
　　_{주어}
　　Tom은 교회에 간다.

③ **명령문, and / or**

명령문, and~	~해라, 그러면 ~할 것이다
명령문, or~	~해라, 그렇지 않으면 ~할 것이다

Tip!

「명령문, and/or의 표현은 같
은 나이 또래끼리, 또는 아랫사
람에게 쓰는 표현이다.

ex. Study hard, **and** you will pass the exam.

　　열심히 공부해라, 그러면 너는 그 시험에 합격할 것이다.

　　Hurry up, **or** you will miss the train.

　　서둘러라, 그렇지 않으면 너는 그 기차를 놓칠 것이다.

다음 문장을 지시대로 바꿔 보자.

cafeful 조심스러운
double 두배
diligent 부지런한
do one's best 최선을 다하다

1 You open the door.

명령문   *Open the door*   .

2 You are careful.

명령문   .

3 You help your father.

명령문   .

4 We break for lunch.

권유문   .

5 We make it double.

권유문   .

6 You close your mouth.

명령문   .

7 We are happy.

권유문   .

8 You are a diligent student in your study.

명령문   .

9 We take the elevator.

권유문   .

10 We do our best.

권유문   .

2

다음 문장을 지시대로 바꿔 보자.

keep off 출입금지하다
on time 제 시간에
writer 작가
quiet 조용한
follow 따르다
vending machine 자판기
take a deep breath 심호흡하다

1 We have lunch in that restaurant.

권유문   *Let's have lunch in that restaurant* .

2 You keep off the grass.

명령문   .

3 You take a medicine on time.

명령문   .

4 You are a good writer.

명령문   .

5 You are quiet in the library.

명령문   .

6 We follow him.

권유문   .

7 You put a coin in the vending machine.

명령문   .

8 You are a kind person for everyone.

명령문   .

9 We wait here.

권유문   .

10 You take a deep breath.

명령문   .

다음 문장의 (   ) 안에서 알맞은 말을 골라 동그라미 해 보자.

England 영국
France 프랑스
receive 받다
reply 답변
be poor at ~을 잘 못하다
PE physical education
체육

1 I study English (and, or, but) math.

2 I have a house, (and, or, but) I don't have a car.

3 Which is better, this (and, or, but) that?

4 I love my parents (and, or, but) sisters.

5 Which color does she like, blue (and, or, but) green?

6 She likes his music, (and, or, but) she doesn't like his voice.

7 Answer yes (and, or, but) no.

8 Do you want to go to England (and, or, but) France?

9 He meets Kate (and, or, but) Joe.

10 She is old (and, or, but) healthy.

11 I send a letter to her, (and, or, but) I don't receive her reply.

12 He is poor at PE (and, or, but) art.

13 Are you a teacher (and, or, but) a student?

14 He is tired, (and, or, but) he works hard.

15 James has a necklace (and, or, but) two bracelets.

4

다음 문장의 (   ) 안에서 알맞은 말을 골라 동그라미 해 보자.

1 Be kind, (and, or, but) you will have many friends.

2 Write her a letter, (and, or, but) you will make her happy.

3 Be quiet, (and, or, but) my teacher will get angry.

4 She is pretty (and, or, but) not clever.

5 Leave now, (and, or, but) I will call the police!

6 Study hard, (and, or, but) you will succeed.

7 Is it a fly (and, or, but) a mosquito?

8 Brush your teeth after meals, (and, or, but) your teeth
   will be rotten.

9 Stop fighting, (and, or, but) I will call your mother.

10 Open your mind (and, or, but) talk to your parents.

11 Close the window, (and, or, but) it will be cold.

12 He likes baseball (and, or, but) I don't like it.

13 Go to the doctor, (and, or, but) it will get worse.

14 Drink coffee less, (and, or, but) you will not sleep well.

15 Jane loves her family (and, or, but) friends.

make ~(형용사) ~를
...하게 하다
shout 소리치다
police 경찰
succeed 성공하다
fly 파리
mosquito 모기
rotten 썩은
fighting 싸움
close 닫다
get worse 악화되다
less 더 적게

다음 빈칸에 알맞은 접속사를 써 보자.

Picasso 피카소
Cezanne 세잔 (프랑스의
인상파 화가)
true 진실한
comfortable 편안한
dead 죽은
alive 살아있는
difficult 어려운
soda 탄산음료
slim 날씬한
promise 약속
break 깨뜨리다

1 Korea is small, *but* strong.

2 Which artist does he like, Picasso   Cezanne?

3 You are smart   not wise.

4 Is this an orange   an apple?

5 I have many friends,   I don't have a true friend.

6 The bus   the taxi are comfortable.

7 I have breakfast,   I wash the dishes.

8 Is the fly dead   alive?

9 It is difficult   I solve it.

10 He is young   healthy.

11 You are slim   lovely.

12 Would you like some juice   soda?

13 You make a promise,   you break it.

14 Do you want to sleep   to go out?

15 Are they Korean   Japanese?

2

다음 빈칸에 알맞은 접속사를 써 보자.

1 Be careful, *or* you will break your glasses.

2 Do your best, you will pass the exam.

3 Eat fresh vegetables, you will be healthy.

4 Stay with Jack, you will be safe.

5 Wear a coat, you will catch a cold.

6 Get out of here, you will be frozen.

7 Save money, you will be a poor man.

8 Get up early, you will miss the school bus.

9 Read many books, you will be intelligent.

10 Drink water now, you will be thirsty.

11 Remember this, you will make a mistake.

12 Give this to her, she will happy.

13 Do the exercise, you will get better.

14 Be diligent, you will succeed.

15 Send your grandmother the roses, she will be happy.

vegetable 야채
catch a cold 감기에 걸리다
get out of~ ~에서 나가다
frozen 냉동된
save 모으다
poor 가난한
miss 놓치다
intelligent 총명한
thirsty 목이 마른
remember 기억하다
make a mistake 실수하다
tease 놀리다
get better 점점 좋아지다
waste 낭비하다
succeed 성공하다

다음 문장을 부정문으로 바꿔 보자. (2가지 가능)

take a photo 사진을 찍다
hide and seek 숨바꼭질
be afraid of ~을 두려워
하다

1 Cross the line.

⇨ *Don't cross the line.* .

2 Let's take a photo.

⇨ .

⇨ .

3 Climb a tree.

⇨ .

4 Be afraid of the dog.

⇨ .

5 Let's pick some apples.

⇨ .

⇨ .

6 Mix the fruit and ice cream.

⇨ .

7 Let's play hide and seek.

⇨ .

⇨ .

8 Drop your pencil on the floor.

⇨ .

4

다음 빈칸에 알맞은 말을 써 보자.

1 Let's visit David's apartment.

⇨ Yes, *let's* _____.

2 Let's ski now.

⇨ I'm sorry, but I c_____.

3 Let's blow out the candles.

⇨ A_____.

4 Let's work hard.

⇨ No, I_____.

5 Let's watch a movie.

⇨ S_____.

6 Let's mow the grass.

⇨ Yes, I_____.

7 Let's go along.

⇨ I_____, but I can't.

8 Let's sing together.

⇨ O_____.

9 Let's prepare dinner.

⇨ No, I_____.

10 Let's get up early in the morning.

⇨ A_____.

apartment 아파트
blow out 끄다
candle 촛불
mow the grass 잔디를 깎다
prepare 준비하다

1 권유문에 대해 긍정으로
답할 때는 Yes, let's., All
right., O.K., Sure. 등으
로 쓸 수 있다.

다음 밑줄 친 부분들 중에서 **틀린** 곳을 바르게 고쳐 써 보자.

expensive 값비싼
lazy 게으른
be poor at ~을 잘 못하다
(=be bad at)
badminton 배드민턴
novel 소설
poem 시
spaghetti 스파게티

1 Television <u>or</u> computer <u>are</u> expensive.
   and

2 <u>Which</u> do you like better, baseball <u>and</u> basketball?

3 She <u>plays</u> the violin <u>but</u> the cello.

4 He goes <u>to</u> church on Sundays <u>but</u> Wednesdays.

5 You <u>are</u> pretty <u>or</u> lazy.

6 I <u>am</u> poor at tennis <u>or</u> badminton.

7 Trees <u>but</u> flowers <u>need</u> a lot of water.

8 They <u>read</u> novels, <u>or</u> they don't read poems.

9 He <u>or</u> Judy drink a lot <u>of</u> Coke.

10 <u>Is</u> she a designer <u>and</u> an artist?

11 Tom is poor at history, <u>and</u> he is good <u>at</u> science.

12 <u>Is</u> this a lily <u>but</u> a tulip?

13 I am small, <u>or</u> my feet <u>are</u> big.

14 She calls Paul, <u>and</u> she <u>doesn't</u> call John.

15 Which do you want to eat, pizza <u>but</u> spaghetti?

2

다음 밑줄 친 부분들 중에서 **틀린** 곳을 바르게 고쳐 써 보자.

1 John, <u>holds</u> the umbrella <u>for</u> me!
  hold

2 <u>Not let's</u> <u>play</u> outside.

3 Sleep early, <u>or</u> you will <u>be</u> healthy.

4 Let's <u>listen</u> to him. - No, <u>let's</u>.

5 <u>Cuts</u> the tree, <u>Tom</u>!

6 <u>Stand</u> still, <u>and</u> the dog will chase after you.

7 <u>Repeat</u> the word, <u>or</u> you will remember it.

8 Let's <u>dance</u> with them. - Yes, <u>let's not</u>.

9 <u>Cross not</u> <u>the</u> street.

10 Let's <u>enjoys</u> the <u>party</u>.

11 Don't <u>waxes</u> <u>his</u> car.

12 <u>Follow not</u> <u>a</u> stranger.

13 Stay here, <u>and</u> you <u>will be</u> in trouble.

14 <u>Let's don't</u> <u>make</u> a sand castle.

15 Don't <u>are</u> a <u>lazy</u> boy.

hold 잡다
outside 밖에(서)
still 정지한, 가만히 있는
chase after ~를 쫓다
stranger 낯선 사람
be in trouble 곤경에 처하다
sand castle 모래성

[01-02] 다음 빈칸에 들어갈 말로 알맞은 것을 고르시오.

01

_____ the window. 창문을 닫아라.

① Close　　　　　　② Closes
③ Be closed　　　　④ Closing
⑤ To close

02

Let's _____ the mountain. 산에 올라가자.

① climb　　　　　　② climbs
③ climbed　　　　　④ climbing
⑤ to climb

03 다음 빈칸에 공통으로 들어갈 말로 알맞은 것은?

• Don't _____ angry.

• _____ a good doctor.

• _____ honest, Judy.

① is　　　　　　② be
③ are　　　　　④ do
⑤ does

04 다음 빈칸에 들어갈 접속사가 순서대로 바르게 짝지어진 것은?

> · He goes out, _____ she goes out, too.
>
> · Who runs faster, Giho _____ sujin?

① and - but　　　　② but - and
③ or - and　　　　 ④ but - or
⑤ and - or

05 다음 문장 중 바르지 <u>않은</u> 것은?

① Be quiet.
② Let's opens the box.
③ Don't move.
④ Lisa, wake up.
⑤ Carry your desk.

06 다음 빈칸에 들어갈 말로 알맞은 것은?

06

quit 끊다

> Quit smoking, _____ you will be sick.

① or　　　　　② and
③ but　　　　　④ if
⑤ however

07 다음 문장을 부정 명령문으로 바르게 바꾼 것은?

Wear a red shirt.

---

① Let's wear a red shirt.
② Let's not wear a red shrit.
③ Not wear a red shirt.
④ Wear not a red shirt.
⑤ Don't wear a red shirt.

08 다음 대화를 읽고, 빈칸에 알맞은 말을 쓰시오.

08

fatty 지방의, 기름진

Tom : Do you like pizza?

Mary : No, I don't. I like chicken. How about you?

Tom : I like chicken and spaghetti a lot.

Mary : I like spaghetti, too. But I don't like pizza. It is

fatty.

→ Mary likes chicken _____ spaghetti.

09 다음은 주어진 문장을 부정문으로 바꾼 것이다. 틀린 부분을 바르게 고치시오.

> Let's play tennis.
>
> → Let's don't play tennis.

_____ ⇨ _____

정답 및 해설 p.15

10 다음 빈칸에 공통으로 들어갈 말로 알맞은 것은?

> · The boy is small, _____ strong.
>
> · She is pretty, _____ not kind.

① and   ② or
③ but   ④ so
⑤ such

10
두 문장 모두 앞뒤가
상반된 의미를 가지고
있다.

Quiz!

다음 문장을 지시대로 바꿔 보자.

1 You catch a rabbit. ➡ 명령문 _____ .

2 We visit the sick friend. ➡ 권유문 _____ .

3 You are a nice guy. ➡ 명령문 _____ .

4 We take a break. ➡ 권유문 _____ .

다음 문장을 부정문으로 바꿔 보자.

1 Be afraid of a cat. ➡ _____ .

2 Run in the hallway. hallway 복도 ➡ _____ .

3 Let's make a pizza. ➡ _____ .

다음 ( ) 안에 알맞은 접속사를 써 보자.

1 Listen to me, _____ you will miss the key point.

2 John is good at tennis, _____ he is poor at golf.

3 Drink water a lot, _____ you will get better. a lot 많이

4 The kid eats some candies _____ cookies.

5 Which is your watch, this _____ that?

Unit 07

조동사 (can, must)

조동사는 본동사의 의미를
더해 주는 보조 동사이다.

조동사 (can, must)

조동사란?

의미 본동사의 의미를 더해 주는 보조 동사이다.

종류 can(~할 수 있다), must(~해야만 한다), will(~할 것이다) …

형태 조동사 + 동사원형

1 can (능력, 가능)

「~할 수 있다」는 뜻으로 인칭에 상관없이 동사 앞에 can 만 붙여 주면 되고 can 뒤에는 동사원형이 온다.

> can + 동사원형

> *ex.* He **can swim** well. 그는 수영을 잘 할 수 있다.
> ~~He can swims well.~~

1 can의 부정문, 의문문 만들기

▶ 부정문 : can 바로 뒤에 **not**만 붙이면 된다.

ex. I **cannot**(= **can't**) **swim** well. 나는 수영을 잘 할 수 없다.

▶ 의문문 : **can**이 주어 앞으로 나가고 물음표를 붙이면 된다.

ex. **Can you swim** well? 너는 수영을 잘 할 수 있니?

  – Yes, I **can**. 응. 나는 할 수 있어.

  – No, I **can't**(= cannot). 아니. 나는 할 수 없어.

주의 할 것은 cannot의 축약형은 cann't가 아니라 can't이다.

2 can과 be able to

▶ can과 같은 표현으로 be able to가 있다.

> can = be able to

ex. I **can** speak English.
  = I **am able to** speak English. 나는 영어를 말할 수 있다.

▶ can과 마찬가지로 be able to 뒤에는 반드시 동사원형이 온다.

ex. He is able to speak English.
~~He is able to speaks English.~~

Tip!
조동사 will은 4권에서 자세히
배우기로 하자!

③ be able to의 의문문, 부정문 만들기

▶ 부정문 : be동사 바로 뒤에 **not**만 붙이면 된다.

ex. You **are not able to** read this letter. 너는 이 편지를 읽을 수 없다.

▶ 의문문 : **be**동사가 주어 바로 앞으로 나가고, 물음표만 붙이면 된다.

ex. **Are you able to** read this letter? 너는 이 편지를 읽을 수 있니?

　　– Yes, I am. 응. 그래.　　　　– No, I am not. 아니. 그렇지 않아.

② must (의무)

「~해야만 한다」의 뜻으로 인칭에 상관없이 동사 앞에 **must**만 붙여 주면 되고 must 뒤에는 동사원형이 온다.

> must + 동사원형

ex. You **must** study English. 너는 영어를 공부해야만 한다.
~~You must studies English.~~

① must와 have to

▶ **must**는 have to로 바꿔 쓸 수 있다.

> must = have to

ex. You **must** go to church.
= You **have to** go to church. 너는 교회에 가야만 한다.

▶ 주어가 3인칭 단수일 경우는 **has to**로 바꿔 쓴다.

ex. He **has to** do the exercise. 그는 운동해야만 한다.
~~He **have to** do the exercise.~~

▶ must와 마찬가지로 **have to**와 **has to** 뒤에는 반드시 동사원형이 온다.

ex. He **has to take** vitamin every day. 그는 매일 비타민을 먹어야만 한다.
~~He has to takes vitamin every day.~~

다음 문장에서 조동사에 동그라미하고 그 의미를 고른 후 우리말로 바꿔 보자.

fly to ~로 비행기를 타고 가다
make ramen 라면을 끓이다

1 She (must) help her mom.　　　　　　(능력/가능, (의무))

그녀는 그녀의 엄마를 　　도와드려야만 한다.

She can help her mom.　　　　　　(능력/가능, 의무)

그녀는 그녀의 엄마를

2 I can talk to her.　　　　　　(능력/가능, 의무)

나는 그녀에게

I must talk to her.　　　　　　(능력/가능, 의무)

나는 그녀에게

3 John can fly to Seoul.　　　　　　(능력/가능, 의무)

John은 서울로

John must fly to Seoul.　　　　　　(능력/가능, 의무)

John은 서울로

4 They must walk to church.　　　　　　(능력/가능, 의무)

그들은 예배보러

They can walk to church.　　　　　　(능력/가능, 의무)

그들은 예배보러

5 My son must make ramen.　　　　　　(능력/가능, 의무)

나의 아들은 라면을

My son can make ramen.　　　　　　(능력/가능, 의무)

나의 아들은 라면을

2

다음 (   ) 안에서 알맞은 말을 골라 동그라미 해 보자.

1 I am able to (eats, eat) carrots.

2 He (have to, has to) (call, calls) his wife.

3 You (does, do) the dishes.

4 She can (keep, keeps) a bird.

5 They must (leave, leaves) for America.

6 I (have to, has to) (finishes, finish) the work.

7 We are able to (checks, check) the luggage.

8 He can (meet, meets) her in the coffee shop.

9 You must (wears, wear) the red skirt.

10 Mary (chew, chews) a bubble gum.

11 The designers (have to, has to) (end, ends) their work.

12 They can (drinks, drink) wine.

13 Judy (learn, learns) Chinese.

14 My daughter (have to, has to) (do, does) her homework.

15 He is able to (order, orders) breakfast at the restaurant.

carrot 당근
leave for ~를 향해 떠나다
luggage 수하물
chew 씹다
bubble gum 풍선껌
wine 포도주
designer 디자이너
end 끝내다
Chinese 중국어
order 주문하다

같은 표현으로 바꿔 보자.

handle 다루다
go to the top 정상에 오르다
in half 반으로
brand new 신형의
tennis 테니스

1 We can pass the test.

= We *are* *able* *to* *pass* the test.

2 She can do as much as you.

= She _____ as much as you.

3 She is able to handle it herself.

= She _____ it herself.

4 You can save the earth.

= You _____ the earth.

5 He can cook rice.

= He _____ rice.

6 They are able to go to the top.

= They _____ to the top.

7 I am able to cut it in half.

= I _____ it in half.

8 The baby can walk by himself.

= The baby _____ by himself.

9 Tom can buy a brand new computer.

= Tom _____ a brand new computer.

10 Mom is able to play tennis.

= Mom _____ tennis.

4

같은 표현으로 바꿔 보자.

1 Jane must come back.

= Jane   *has*   *to*   *come*   back.

2 I have to work by 10.

= I   by 10.

3 They must win a gold medal.

= They   a gold medal.

4 He must take a deep breath.

= He   a deep breath.

5 Paul must stay in Seoul for a long time.

= Paul   in Seoul for a long time.

6 Your dreams have to come true.

= Your dreams   true.

7 I must rescue the child.

= I   the child.

8 We must speak English in our classroom.

= We   English in our classroom.

9 You have to follow your heart.

= You   your heart.

10 She has to clean up her house.

= She   up her house.

take a breath 숨을 쉬다
rescue 구조하다
for a long time 오랫동안
follow 따르다

빈칸에 알맞은 말을 |보기|에서 2개씩 골라 그 번호를 써 보자.

by oneself 혼자 힘으로
enough 충분한
understand 이해하다
hand in 제출하다
assignment 과제
on time 제 때에
finish 끝내다
within ~이내
try 시도하다
review 복습하다

| |보기| | ① can | ② am able to | ③ is able to |
| | ④ are able to | ⑤ must | ⑥ have to | ⑦ has to |

1 I ___①, ②___ study science by myself.

나는 혼자 힘으로 과학을 공부할 수 있다.

2 You ___ get enough sleep.

너는 충분한 잠을 자야한다.

3 She ___ understand her daughter.

그녀는 그녀의 딸을 이해할 수 있다.

4 Jenny ___ finish dinner by 7.

Jenny는 7시 까지 저녁식사를 끝낼 수 있다.

5 You ___ hand in your assignment on time.

너는 제 때에 너의 과제를 제출해야만 한다.

6 You ___ keep this book.

너는 이 책을 보관해야만 한다.

7 The child ___ write the English alphabet.

그 아이는 영어 알파벳을 쓸 수 있다.

8 They ___ finish this work within a week.

그들은 일주일 내에 이 일을 끝낼 수 있다.

9 I ___ try again next time.

나는 다음번에 다시 시도할 수 있다.

10 We ___ review the last lesson.

우리는 지난 수업을 복습해야만 한다.

6

빈칸에 알맞은 말을 |보기| 에서 2개씩 골라 그 번호를 써 보자.

| 보기 | ① can ② am able to ③ is able to
④ are able to ⑤ must ⑥ have to ⑦ has to

1 You   ⑤, ⑥   see a doctor.

너는 진찰을 받아야만 한다.

2 The excellent pilot   pilot an airplane fast.

그 유능한 조종사는 비행기를 빠르게 조종할 수 있다.

3 We   stand in line.

우리는 줄을 서야만 한다.

4 She   stay a little longer.

그녀는 조금 더 머무를 수 있다.

5 You   do it.

너는 그것을 할 수 있다.

6 The boys   hide E.T.

그 소년들은 E.T를 숨겨야만 한다.

7 I   quit the job.

나는 그 일을 그만둘 수 있다.

8 They   take this class.

그들은 이 수업을 받아야만 한다.

9 Our teacher   mark a paper.

우리의 선생님은 답안지를 채점할 수 있다.

10 She   pay monthly rent.

그녀는 월세를 지불해야만 한다.

see a doctor 진찰받다
excellent 유능한
pilot 조종사, 조종하다
stand in line 줄을 서다
a little longer 조금 더
hide 숨기다
take (수업을) 받다
mark 채점하다
monthly rent 월세
pay 지불하다

E.T.
외계생명(extraterrestrial)
이란 뜻으로 1982년에
개봉한 공상과학영화의
주인공이다.

우리말과 같도록 빈칸에 알맞은 말을 써 보자.

sentence 문장
apologize 사과하다
mistake 잘못
take care of ~을 돌보다
grandson 손자
move 옮기다
leave 남기다
note쪽지
travel 여행하다
cross (길을) 건너다
crosswalk 횡단보도
pull over 길 한 쪽으로 빼주다

1 She _can_ _go_ there.
그녀는 거기에 갈 수 있다.

2 You these sentences.
너는 이 문장들을 써야만 한다.

3 He his mistake.
그는 그의 잘못에 대해 사과해야만 한다.

4 I three hamburgers.
나는 햄버거 세 개를 먹을 수 있다.

5 The old lady care of her grandson.
그 할머니는 그녀의 손자를 돌보아야만 한다.

6 Paul this box by himself.
Paul은 혼자 힘으로 이 상자를 옮길 수 있다.

7 Mary him a note.
Mary는 그에게 쪽지를 남겨야만 한다.

8 John this year.
John은 올해 여행할 수 있다.

9 Everyone the street in the crosswalk.
모든 사람들은 횡단보도에서 길을 건너야만 한다.

10 You over your car.
너는 너의 차를 길 한 쪽으로 빼주어야만 한다.

2

우리말과 같도록 빈칸에 알맞은 말을 써 보자.

1 She *can*   *go*   shopping at noon.

그녀는 정오에 쇼핑하러 갈 수 있다.

2 You   still object about ten times.

너는 약 10회 정도 정물을 그려야만 한다.

3 We   respect of our elders.

우리는 윗사람들을 공경해야만 한다.

4 Mary   this computer.

Mary는 이 컴퓨터를 사용해야만 한다.

5 You   a new one.

너는 새것을 주문할 수 있다.

6 He   a different file.

그는 다른 파일을 선택할 수 있다.

7 He   yoga once a week.

그는 일주일에 한 번 요가를 할 수 있다.

8 Inho   Inyoung.

인호는 인영이를 믿어야만 한다.

9 The old man   his

son's address.

그 노인은 그의 아들의 주소를 기억할 수 있다.

10 All students   home in time.

모든 학생들은 제 시간에 집에 와야만 한다.

still object 정물
elder 윗사람
show respect of 공경하다
use 사용하다
order 주문하다
select 선택하다
do yoga 요가를 하다
once a week 일주일에 한 번
remember 기억하다
in time 제 시간에

다음 문장을 지시대로 바꿔 보자.

City Hall 시청
explain 설명하다
text 문자를 보내다

1 He can sing a difficult song.

부정문   *He   can't   sing*   a difficult song.

2 They can explain the rules.

의문문   the rules?

3 We can find the City Hall.

부정문   the City Hall.

4 The kid can pray to God.

의문문   to God?

다음 문장을 지시대로 바꿔 보자.

1 They are able to break the wall.

부정문

the wall.

2 You are able to start now.

의문문   now?

3 He is able to surf the internet on IPad.

의문문   the

internet on IPad?

4 Ann is able to text.

부정문   .

4

다음 질문에 대하여 Yes와 No로 시작하는 대답을 완성해 보자.

1 Can you wait for me?

– Yes, *I can* .

2 Is he able to check his e-mail?

– No, .

3 Can I use your cup?

– Yes, .

4 Are you able to spell the word?

– Yes, .

– No, .

5 Can she write in answer?

– Yes, .

– No, .

6 Is Mike able to go with me?

– Yes, .

– No, .

7 Can you remember her full name?

– Yes, .

– No, .

wait for ~을 기다리다
spell 철자를 말하다
write in answer 답장하다
remember 기억하다

다음 밑줄 친 부분들 중에서 <u>틀린</u> 곳을 바르게 고쳐 써 보자.

borrow 빌리다
repeat 반복하다
follow 따르다
turn off ~을 끄다, 잠그다
without ~없이

1 I <u>can make not</u> the <u>chair</u> again.
  cannot make

2 James <u>is</u> able to <u>throws</u> it away.

3 My brother can <u>changes</u> his <u>mind</u>.

4 You <u>are</u> able <u>borrow</u> some money.

5 He <u>have</u> to <u>repeat</u> the word.

6 Your puppy <u>are</u> able to <u>follow</u> me.

7 The bird <u>able to</u> <u>fly</u> up in the sky.

8 We <u>have</u> to <u>moveing</u> to China.

9 <u>Can</u> he <u>leaves</u> for L.A. now?

10 She <u>must</u> <u>cooks</u> meatballs.

11 She <u>able to</u> turn off the radio <u>without</u> her hands.

12 They <u>has to</u> <u>skate</u> on the lake.

13 I <u>am</u> able <u>send</u> a text message to Mr. Kim.

14 Mary <u>cann't</u> <u>go</u> to the party.

15 I <u>not can</u> <u>memorize</u> a lot of words very well.

다음 밑줄 친 부분들 중에서 **틀린** 곳을 바르게 고쳐 써 보자.

go hunting 사냥하러 가다
become ～이 되다
question 질문
hunt 사냥하다
play hide and seek
숨바꼭질하다

1 His sister <u>are</u> <u>able to</u> draw a nice picture.
               is

2 James must <u>has</u> <u>dinner</u> at 6 p.m.

3 They <u>has to</u> <u>go</u> hunting.

4 They <u>has</u> to <u>visit</u> Korea.

5 <u>Can</u> she <u>brings</u> me the ruler?

6 You <u>must</u> to <u>close</u> the window.

7 Mr. Kim <u>can</u> <u>teaches</u> history.

8 She <u>is</u> <u>able help</u> her mother.

9 We <u>is</u> <u>able to</u> take a walk.

10 He <u>must</u> <u>becoming</u> an artist.

11 They <u>have to</u> <u>answering</u> the question.

12 The king <u>has to</u> <u>hunts</u> the red bear.

13 You <u>must</u> to <u>go</u> to the market for shopping.

14 Jane <u>can</u> <u>plays</u> hide and seek with her friends.

15 She <u>able</u> <u>to park</u> in front of her house.

실전Test

01 다음 문장과 의미가 같은 것은?

> He can ski on the hill.

① He will ski on the hill.
② He must ski on the hill.
③ He is able to ski on the hill.
④ He can't ski on the hill.
⑤ He doesn't ski on the hill.

02 다음 문장의 밑줄 친 부분 중 바른 것은?

① Are you able to <u>runs</u> fast?
② Paul must <u>finds</u> his key.
③ The tiger is able to <u>catches</u> the deer.
④ She can <u>brings</u> a chair.
⑤ He has to <u>take</u> a taxi.

03 다음 질문에 대한 대답으로 알맞은 것은? (2개)

> Can she remember Judy?

① Thanks.   ② No, she can't.
③ Yes, you are.   ④ No, she doesn't.
⑤ Yes, she can.

04 다음 빈칸에 들어갈 말로 알맞은 것은?

> Peter is able to _____ his brother.

① take   ② takes

③ took   ④ taking

⑤ to take

04

be able to 뒤에는 동사
원형이 온다.

make one's bed
침대를 정리하다

05 다음 질문에 대한 대답으로 가장 알맞은 것은?

> Are you able to make your bed?

① No, I don't.   ② Yes, I am.

③ I'm fine.   ④ Yes, I do.

⑤ No, thanks.

06 다음 두 문장의 뜻이 같도록 빈칸에 알맞은 말을 쓰시오.

> You have to do your homework before dinner.
>
> = You _____ do your homework before dinner.

07 다음 빈칸에 들어갈 말이 순서대로 바르게 짝지어진 것은?

· We _____ get there in time.

· Mr. Park _____ visit his father.

---

① have to - have to
② has to - has to
③ had to - have to
④ have to - has to
⑤ has to - had to

더 알아보기

07

get 도착하다
in time 제 시간에

08 다음 문장의 밑줄 친 부분이 바르지 않은 것은?

① He <u>must go</u> to hospital.
② They <u>must learn</u> English.
③ She <u>must move</u> to Busan.
④ Mary <u>must give</u> a pencil to him.
⑤ Mr. Lee <u>must eats</u> dinner with his family.

08

must 뒤에는 동사원형이
온다.

09 다음 문장에서 <u>틀린</u> 곳을 찾아 바르게 고쳐 쓰시오.

> Paul has to reads a newspaper.

_____ ⇨ _____

09

have to나 has to
뒤에는 동사원형이 온다.

정답 및 해설 p.17

10 다음 문장을 우리말로 바르게 옮긴 것은?

> We have to send a message to our parents by e-mail.

① 우리는 우리의 부모님께 이메일로 연락한다.
② 우리는 우리의 부모님께 이메일로 연락하고 있다.
③ 우리는 우리의 부모님께 이메일로 연락할 수 있다.
④ 우리는 우리의 부모님께 이메일로 연락해야만 한다.
⑤ 우리는 우리의 부모님께 이메일로 연락했다.

10

by e-mail 이메일로

Quiz!

다음 ( ) 안에 알맞은 말을 |보기|에서 두 개씩 골라 그 번호를 써 보자.

|보기|	① can	② am able to	③ is able to
	④ are able to	⑤ must	⑥ have to	⑦ has to

1 I   call my mother.

나는 나의 어머니께 전화를 걸어야 한다.

2 He   finish his work by six.

그는 6시까지 그의 일을 끝마칠 수 있다.

3 John   solve the quiz.

John은 그 퀴즈를 풀 수 있다.

4 She   do it again.

그녀는 그것을 다시 해야만 한다.

5 He and I   cut the big tree.

그와 나는 그 큰 나무를 자를 수 있다.

6 My son   brush his teeth after meals.

나의 아들은 식사 후 그의 이를 닦아야만 한다.

7 John   speak Korean.

John은 한국어를 말할 수 있다.

8 My sisters   take a violin lesson.

나의 여동생들은 바이올린 수업을 받아야만 한다.

9 The boy   study math.

그 소년은 수학을 공부해야만 한다.

10 I   hear his voice.

나는 그의 목소리를 들을 수 있다.

Unit 08

전치사

전치사는 명사 앞에 붙어서
위치, 방향, 때 등 다양한 의미를
나타내는 기능을 한다.

전치사

전치사란?

명사 앞에 붙어서 위치, 때, 방향 등을 나타내는 말이다.

1 위치를 나타내는 전치사

전치사	의미	예
on	~위에 (붙어서)	There's a book **on** the desk.
over	~위에 (떨어져서)	It flies **over** the tree.
under	~아래에 (떨어져서)	The cat is **under** the table.
in	~(안)에	There's no one **in** the room.
out	~밖에	She looks **out** the window.
next to, by, beside	~옆에	Tom is **next to** (by/beside) me.
in front of	~앞에	Ben is **in front of** the building.
behind	~뒤에	The child hides **behind** the door.
at	~에	She is **at** the door.
around	~주위에	Let's walk **around** the village.
from A to B	A에서 B까지	He moves **from** here **to** the mall.
between A and B	A와 B 사이에	Sit **between** Mary **and** Tom.
among	~가운데	It is **among** the trees.

Tip!
1. 전치사 'on'은 사람이나 사물의 일부가 대상에 닿아 있는 것을 나타낼 때 쓰인다.
   ex. She gets on the bus.
   → 그녀의 발이 버스 바닥에 닿아 있기 때문에 'on'을 쓴다.

2. 장소를 나타내는 전치사 'in'은 넓은 범위를 나타낼 때 쓰고, at은 비교적 좁은 범위를 나타낼 때 쓴다.
   ex. in Seoul, at the desk

behind (~뒤에)   in front of (~앞에)

between A and B (A와 B 사이에)

among (~사이에, ~가운데)

 때를 나타내는 전치사

① **구체적인 시간**

전치사	의미	예
at	시간	I play the piano **at** 2 o'clock.
on	날짜, 요일	We play tennis **on** Sunday.
in	월, 계절, 연도	There are 30 days **in** November. We have heavy snow **in** winter. He passed the exam **in** 2003.

연, 월, 일 중에서 두 가지 이상이 복합되었을 때는 가장 작은 단위에 맞춰 전치사를 사용한다.

ex. **in** October
  on Sunday October 12th, 2004
  at 7, October 12th, 2004

② 하루의 특정 시간

전치사	시간	의미	예
in ~	the morning	아침에	He gets up early **in** the morning.
	the afternoon	오후에	We play soccer **in** the afternoon.
	the evening	저녁에	She watches the TV **in** the evening.
at ~	dawn	새벽에	I wake up **at** dawn.
	noon	정오에	I eat lunch **at** noon.
	night	밤에	They sleep **at** night.
	midnight	자정에	They go to work **at** midnignt.

③ 시간의 경과

전치사	의미	예
in (미래)	~내에 (후에)	I will come **in** two hours.
after	~후에	We play soccer **after** school.
before	~전에	I wash my hands **before** dinner.
from A to B	A부터 B까지	The store is open **from** 9 A.M. **to** 6 P.M.

③ 방향을 나타내는 전치사

up   down

out of

into

전치사	의미	예
up	~의 위로	I climbed **up** a ladder.
down	~의 아래로	I fell **down** the stairs.
into	~안으로	He ran **into** the library.
out of	~밖으로	He went **out of** his house.
to	~으로(로)	I go **to** school.
for	~을 향해서	We leave **for** Canada.
along	~을 따라서	She walked **along** the street.
through	~을 통과하여	The train passed **through** the tunnel.
across	~을 가로질러서	There is a bridge **across** the river.

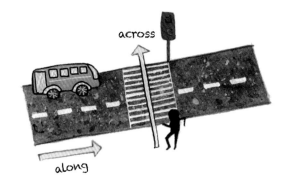

 4 그 밖에 알아 두어야 할 전치사

전치사	의미	예
for	~를 위하여	This doll is **for** you.
with	~와 함께, ~을 가지고(사용하여)	I go to school **with** Jane. I draw the picture **with** some pencils.
by	~을 타고	I go to school **by** bus.

다음 (   ) 안에서 알맞은 전치사를 골라 보자.

1	~에	(at, into)	2 ~시에	(on, at)
3	~위에	(between, on)	4 새벽에	(on, at) dawn
5	~옆에	(by, in front of)	6 ~월에	(in, on)
7	~위에	(behind, over)	8 밤에	(at, in) night
9	A부터 B까지	(from, in) A (by, to) B	10 ~후에	(before, after)
11	~가운데	(along, among)	12 ~요일에	(on, in)
13	~아래에	(over, under)	14 정오에	(on, at) noon
15	~주위에	(around, across)	16 ~전에	(before, after)
17	A와 B 사이에	(between, among) A and B	18 저녁에	(in, on) the evening
19	~옆에	(for, next to)	20 ~날짜에	(on, in)
21	~뒤에	(behind, over)	22 ~계절에	(on, in)
23	~밖에	(out, by)	24 오후에	(at, in) the afternoon
25	~앞에	(at, in front of)	26 ~내에	(in, on)
27	~(안)에	(behind, in)	28 ~년에	(in, on)
29	~옆에	(to, beside)	30 아침에	(at, in) the morning

2

다음 ( ) 안에서 알맞은 전치사를 골라 보자.

1 ~으로(로) ((to), along)

2 ~후에 (before, after)

3 ~의 아래로 (up, down)

4 자정에 (on, at) midnight

5 ~을 타고 (at, by)

6 ~요일에 (on, in)

7 ~를 위하여 (for, to)

8 ~아래에 (over, under)

9 ~안으로 (to, into)

10 ~주위에 (around, through)

11 ~을 향해서 (down, for)

12 ~월에 (in, on)

13 ~을 따라서 (along, across)

14 ~앞에 (for, in front of)

15 ~와 함께 (by, with)

16 정오에 (on, at) noon

17 ~을 가로질러서 (along, across)

18 저녁에 (in, on) the evening

19 ~밖으로 (into, out of)

20 ~가운데 (along, among)

21 ~을 가지고 (with, by)

22 ~년에 (in, on)

23 ~을 통과하여 (through, along)

24 ~계절에 (on, in)

25 C부터 D까지 (by, from) C (to, at) D

26 ~위에(떨어져서) (behind, over)

27 ~옆에 (by, in front of)

28 ~내에(후에) (in, on)

29 오후에 (at, in) the afternoon

30 ~뒤에 (behind, beside)

다음 빈칸에 알맞은 전치사를 써 보자.

1	～뒤에	*behind*	2	저녁에	the evening
3	～옆에		4	～년에	
5	～앞에		6	～시에	
7	～에 (위치)		8	밤에	night
9	A로부터 B까지	A B	10	～계절에	
11	～옆에	*b*	12	아침에	the morning
13	～아래에		14	정오에	noon
15	～위에 (붙어서)		16	～전에	
17	～(안)에		18	～요일에	
19	～밖에		20	새벽에	dawn
21	～위에 (떨어져서)		22	오후에	the afternoon
23	～가운데		24	～월에	
25	～주위에		26	～내에 (후에)	
27	A와 B 사이에	A B	28	～날짜에	
29	～옆에	*be*	30	～후에	

4

다음 빈칸에 알맞은 전치사를 써 보자.

1 ~으로(로)	to	**2** ~가운데	
3 ~밖으로		**4** 밤에	night
5 ~을 타고		**6** ~날짜에	
7 ~을 가로질러서		**8** ~아래에	
9 ~안으로		**10** ~월에	
11 ~을 향해서		**12** ~주위에	
13 ~을 가지고 (사용하여)		**14** ~뒤에	
15 ~의 아래로		**16** 오후에	the afternoon
17 ~를 위하여		**18** ~년에	
19 ~을 따라서		**20** ~가운데	
21 ~을 통과하여		**22** ~계절에	
23 ~와 함께		**24** 아침에	the morning
25 C부터 D까지	C D	**26** A와 B사이에	A B
27 ~옆에	n	**28** ~내에 (후에)	
29 자정에	midnight	**30** ~전에	

다음 빈칸에 알맞은 전치사를 써 보자.

minute 분
Saturday 토요일

1	*in*	the morning	아침에
2		taxi	택시를 타고
3		the girls	소녀들 가운데
4		spring	봄에
5		10 minutes	10분 내에(10분 후에)
6		4 P.M.	6 P.M. 오후 4시부터 6시까지
7		Saturday	토요일에
8		Jane's house	Jane의 집 안으로
9		a pen	펜을 가지고
10		2015	2015년에
11		her	그녀 옆에
12		breakfast	아침 식사 전에
13		you	너를 위하여
14		3 o'clock	3시에
15		the class	수업 후에

6

다음 빈칸에 알맞은 전치사를 써 보자.

1	*under*	the bed	침대 밑에
2		dawn	새벽에
3		P and R	P와 R사이에
4		the gate	그 문을 통과하여
5		night	밤에
6		Paris	파리를 향하여
7		the bridge	다리 위에(떨어져서)
8		the afternoon	오후에
9		winter	겨울에
10		10 12 o'clock	10시부터 정각 12시까지
11		a cane	지팡이를 가지고
12		my room	나의 방 밖으로
13		him	그를 위하여
14		the street	길을 따라서
15		May	5월에

gate 문
cane 지팡이
street 길
May 5월

다음 우리말에 맞도록 빈칸에 알맞은 전치사를 써 보자.

ad balloon 애드벌룬
apartment 아파트
Santa Claus 산타클로스
chimney 굴뚝
present 선물
goat 염소
pan cake 팬케이크

1 Paul은 저 집에서 산다.

Paul lives _____*in*_____ that house.

2 애드벌룬이 탑 위에 있다.

An ad balloon is _____ the tower.

3 나는 그의 앞에 서 있다.

I am standing _____ him.

4 개가 호수 주위를 달린다.

The dog runs _____ the lake.

5 우체국과 병원 사이에 서점이 있다.

There is a bookstore _____ the postoffice _____ the hospital.

6 여기에서 너의 아파트까지는 얼마나 머니?

How far is it _____ here to your apartment?

7 산타클로스는 많은 선물을 가지고 굴뚝을 통해서 들어온다.

Santa Claus comes _____ the chimney _____ many presents.

8 나무 옆에 염소 한 마리가 있다.

There is a goat _____ the tree.

9 딸기가 팬케이크 위에 있다.

A strawberry is _____ the pan cake.

10 그는 집 밖으로 나갔다.

He went _____ his house.

2

다음 우리말에 맞도록 빈칸에 알맞은 전치사를 써 보자.

1 어린이 한 명이 나무 뒤에서 놀고 있다.

A kid is playing _behind_ the tree.

2 그 나비가 꽃들 사이를 날아다닌다.

The butterfly is flying the flowers.

3 나의 어머니는 Anna와 함께 공원에 간다.

My mother goes to the park Anna.

4 그들은 바다를 가로질러 왔다.

They came the sea.

5 Tom은 그의 아들을 위해 책상을 만든다.

Tom makes a desk his son.

6 여기서 나가!(여기 밖으로 나가!)

Get here.

7 그는 지하철을 타고 일하러 간다.

He goes to work subway.

8 나는 여기에서 교회까지 걷는다.

I walk here the church.

9 그녀는 Joe와 Amy사이에 앉는다.

She sits Joe and Amy.

10 우리 선생님은 교실로 들어오신다.

Our teacher comes the classroom.

butterfly 나비
~사이에
between (둘) 사이에
among (셋 이상) 사이에

다음 우리말에 맞도록 빈칸에 알맞은 전치사를 써 보자.

practice 연습하다
jogging 조깅
Olympic Games 올림픽
대회
be held 개최되다
flute 플루트
on Tuesdays (=every
Tuesday) 화요일마다
be born 태어나다

1 우리는 저녁에 연습한다.

We practice *in* the evening.

2 나는 조깅을 한 후에 많은 물을 마신다.

I drink a lot of water   jogging.

3 겨울에는 눈이 많이 온다.

We have a lot of snow   winter.

4 24번째 올림픽은 1988년에 열렸다.

The 24th Olympic Games were held   1988.

5 여름학교는 7월에 시작한다.

Summer school begins   July.

6 자기 전에 이를 닦아라!

Brush your teeth   sleeping!

7 Jane은 화요일마다 플루트를 분다.

Jane plays the flute   Tuesdays.

8 나의 엄마는 새벽에 기도를 하신다.

My mom prays to God   dawn.

9 그녀는 2005년 3월 23일에 태어났다.

She was born   March 23rd, 2005.

10 그녀는 2005년 3월 23일 3시에 태어났다.

She was born   3 March 23rd, 2005.

4

다음 우리말에 맞도록 빈칸에 알맞은 전치사를 써 보자.

1 새들은 바다 위로 날아간다.

The birds fly *over* the sea.

2 그들은 그 강을 따라 자전거를 타고 있다.

They are riding bikes _____ the river.

3 대통령은 군인들 사이에 서 있다.

The president is standing _____ the soldiers.

4 그 여자는 정오에 개를 산책시킨다.

The woman walks a dog _____ noon.

5 나의 집 주위에 많은 나무들이 있다.

There are many trees _____ my house.

6 우리는 자동차로 국토를 횡단한다. (국토를 가로질러서 운전한다)

We drive _____ the country.

7 박물관 주위에 아무것도 없다.

There is nothing _____ the museum.

8 그는 Susan에게 말하기를 원한다.

He wants to talk _____ Susan.

9 James는 서울로 떠난다.

James leaves _____ Seoul.

10 그 소년은 그 경찰서 안으로 달려 들어갔다.

The boy ran _____ the police station.

president 대통령
soldier 군인
country 나라
police station 경찰서

tip leave for Paris 파리로 떠나다
leave Paris 파리를 떠나다

다음 우리말에 맞도록 빈칸에 알맞은 전치사를 써 보자.

lower floor 아래층
bottle 병
hospital 병원

1 우리는 아래층으로 내려갔다.

We went *down* the lower floor.

2 Frank는 펜으로 편지를 쓰는 중이다.

Frank is writing a letter _____ a pen.

3 그녀는 언덕 아래로 달리고 있다.

She is running _____ the hill.

4 그 아이는 텔레비전 옆에 있다.

The child is _____ the television.

5 그는 너와 나 사이에 앉는다.

He sits _____ you and me.

6 그는 너와 함께 있기를 원한다.

He wants to be _____ you.

7 달은 많은 별들 가운데 있다.

The moon is _____ many stars.

8 병 하나가 두 개의 컵들 사이에 있다.

A bottle is _____ the two cups.

9 벽에 그림 하나가 있다.

There is a painting _____ the wall.

10 나는 수요일마다 병원으로 간다.

I go _____ hospital every Wednesday.

6

다음 우리말에 맞도록 빈칸에 알맞은 전치사를 써 보자.

take a shower 샤워하다
appointment 약속
come out 나타나다

1 나는 밤에 잠자리에 든다.

I go to bed   *at*   night.

2 나의 언니는 아침 식사 후에 샤워한다.

My sister takes a shower   breakfast.

3 그 은행은 토요일에 열지 않는다.

The bank does not open   Saturday.

4 그녀는 9시부터 10시까지 걷는다.

She walks   9:00   10:00.

5 너는 3시에 수업이 있다.

You have a class   3 o'clock.

6 Tom은 2시간 내에 집에 돌아올 것이다.

Tom will come back home   two hours.

7 나는 오후에 약속이 있다.

I have an appointment   the afternoon.

7 have an appointment
약속이 있다
make an
appointment 약속하다
keep an
appointment 약속을
지키다
break an
appointment 약속을
깨뜨리다

8 John과 Jane은 가끔 정오에 만난다.

John and Jane sometimes meet   noon.

9 그는 항상 기차를 타고 일하러 간다.

He always goes to work   train.

10 별들은 밤에 나타난다.

Stars come out   night.

다음 밑줄 친 부분들 중에서 **틀린** 곳을 바르게 고쳐 써 보자.

pumpkins 호박
roof 지붕
tunnel 터널
escalater 에스컬레이터
war 전쟁

1 나는 7시 반에 일어난다.

I get <u>up</u> <u>on</u> 7:30.
                    at

2 그는 그 길을 따라 걷고 있다.

He <u>is</u> walking <u>among</u> the street.

3 2개의 호박이 지붕 위에 있다.

There are two <u>pumpkins</u> <u>around</u> the roof.

4 사자가 나무 아래에 있다.

The lion <u>is</u> <u>behind</u> the tree.

5 아버지는 아침에 신문을 읽는다.

Father <u>reads</u> a newspaper <u>on</u> the morning.

6 그 기차는 터널을 통과한다.

The train <u>goes</u> <u>around</u> the tunnel.

7 그들은 에스컬레이터를 타고 올라온다.

They <u>come</u> <u>at</u> the escalator.

8 우리 가족은 일요일마다 가든파티를 했다.

<u>My family</u> had a garden party <u>in</u> Sundays.

9 나는 교실 앞에서 한 남자를 보았다.

I saw a man <u>on</u> front <u>of</u> my classroom.

10 한국 전쟁은 1950년에 시작됐다.

The <u>Korean</u> War began <u>at</u> 1950.

2

다음 밑줄 친 부분들 중에서 틀린 곳을 바르게 고쳐 써 보자.

1   그는 항상 그녀 옆에 앉는다.
    He <u>always</u> sits <u>behind</u> her.
                beside, by, next to

2   Mary는 새벽에 잠에서 깬다.
    Mary wakes <u>up</u> <u>in</u> dawn.

3   하얀 나비 한 마리가 장미 위에 있다.
    A white butterfly <u>is</u> <u>at</u> the rose.

4   나는 Joe와 Tom 사이에 앉았다.
    I sat <u>among</u> Joe <u>and</u> Tom.

5   많은 잎들이 가을에 땅으로 떨어진다.
    Many leaves fall down <u>to</u> the ground <u>on</u> fall.

6   나는 10분 내에 돌아올 것이다.
    I'll be <u>back</u> <u>on</u> 10 minutes.

7   노란 택시가 많은 버스들 가운데 있다.
    <u>The yellow taxi</u> is <u>between</u> the many buses.

8   우리는 불 주위에 앉았다.
    We sat <u>along</u> the <u>fire</u>.

9   그녀는 애완동물 가게 안으로 들어간다.
    She <u>goes</u> <u>out</u> the pet shop.

10 John은 도랑을 가로질러 점프하고 있다.
    John is <u>jumping</u> <u>along</u> the ditch.

wake up 잠에서 깨다
ground 땅
ditch 도랑

01 다음 빈칸에 공통으로 들어갈 단어를 쓰시오.

> • Sit _____ ! 앉아!
>
> • He walks _____ the hill.
> 그는 언덕 아래로 걸어간다.

_____

[02–04] 다음 우리말에 맞도록 빈칸에 알맞은 말을 고르시오.

02

> 사과 2개가 탁자 위에 있다.
>
> → Two apples are _____ the table.

① in   ② on
③ over   ④ at
⑤ from

03

> 곰 두 마리가 숲 밖으로 나왔다.
>
> → Two bears came _____ the forest.

① at   ② out of
③ on   ④ behind
⑤ with

03
forest 숲

04

내 어머니는 나를 위해 아름다운 드레스를 만드신다.

→ My mother makes a beautiful dress _____ me.

① on   ② in
③ with   ④ for
⑤ from

05 다음 빈칸에 들어갈 수 있는 전치사로 알맞은 것은? (2개)

I do my homework _____ dinner.

① before   ② after
③ on   ④ with
⑤ from

06 다음 빈칸에 공통으로 들어갈 말로 알맞은 것은?

• My old friend lives _____ Canada now.

• Many people go to the beach _____ summer.

• I take a piano lesson _____ the evening.

① on   ② in
③ at   ④ by
⑤ to

07 다음 밑줄 친 부분 중 **틀린** 것을 찾아 바르게 고치시오.

> ① The ② moon ③ is ④ among the sun
> ⑤ and the earth.

_____ ⇨ _____

[08–09] 다음 빈칸에 들어갈 말이 순서대로 바르게 짝지어진 것을 고르시오.

08

> • Jane walks _____ the road. Jane은 길을 내려간다.
>
> • Tom hides _____ the chair. Tom은 의자 밑에 숨는다.

① under - down
② under - below
③ behind - down
④ under - behind
⑤ down - under

08

road 길

> • The students eat lunch _____ noon.
>
> • The Italian restaurant will open _____ Tuesday.

더 알아보기

① for - on   ② at - on
③ at - at   ④ in - on
⑤ in - at

10 다음 두 문장을 반대의 뜻이 되도록 할 때, 빈칸에 들어갈 말로 알맞은 것은?

> She is standing behind the building.
>
> ↔ She is standing _____ the building.

① with
② in
③ in front of
④ through
⑤ out of

Quiz!

다음 빈칸에 알맞은 전치사를 써 보자.

1 My cat is _____ the desk. 나의 고양이는 책상 옆에 있다.

2 The boys climb _____ the roof. 그 소년들은 지붕 위로 올라간다.

3 Christmas is _____ December. 크리스마스는 12월에 있다.

4 I sit _____ the fan. 나는 선풍기 앞에 앉는다.

5 Do you do your homework _____ dinner? 너는 저녁식사 전에 숙제를 하니?

6 We are _____ the museum _____ the post office.
우리는 박물관과 우체국 사이에 있다.

7 The thief comes _____ the office. 그 도둑은 사무실로 들어간다.

8 I wake up _____ dawn. 나는 새벽에 깬다.

9 She is _____ the table. 그녀는 탁자에 앉아 있다.

10 Youngsu swims _____ the Han river. 영수는 한강을 가로질러 수영한다.

11 The department store is open _____ 10:00 a.m.
_____ 8 p.m. 백화점은 오전 10시부터 오후 8시까지 연다.

12 My father does exercise _____ the morning.
나의 아버지는 아침에 운동을 하신다.

13 He is _____ his bike. 그는 그의 자전거 뒤에 있다.

14 My cat runs _____ the box. 나의 고양이는 상자 밖으로 뛰쳐나온다.

15 We have four Sundays _____ August. 8월에 4 개의 일요일이 있다.

Grammar **Joy** **3**

- **Review Test 2**
- **내신대비 2**

01 다음 (   ) 안에서 알맞은 말을 골라 동그라미 해 보자.

1 How (many, much) books are there in the library?

2 How (many, much) water is there in the dam? dam 댐

3 How (many, much) pens are there in your pencil-case?

4 How (many, much) milk is there in the bottle?

5 How (many, much) months are there in a year?

6 How (many, much) oranges are in the box?

7 How (many, much) gasoline is in the tank? gasoline 휘발유, tank 저장통

02 다음 (   ) 안에서 알맞은 말을 골라 동그라미 해 보자.

1 How much (butter, butters) is there in the bowl?

2 How many (cooky, cookies) are there in the box?

3 How much (meat, meats) is there in the dish?

4 How much (rice, rices) is in the pack? pack 꾸러미

5 How many (cup, cups) are on the cupboard? cupboard 찬장

6 How many (chair, chairs) are in the office?

7 How much (oil, oils) is on the pan?

O3 다음 우리말에 맞게 문장을 완성해 보자.

1 How   stars   there in the sky?

얼마나 많은 별이 하늘에 있니?

2 How   bread   there on the table?

얼마나 많은 빵이 식탁 위에 있니?

3 How   hens   in the cage?

얼마나 많은 암탉이 닭장 안에 있니?

4 How   cars   in the parking lot?

얼마나 많은 차가 주차장에 있니?

5 How   flour   in the bottle?   flour 밀가루

얼마나 많은 밀가루가 병 안에 있니?

6 How   people   baseball?

얼마나 많은 사람들이 야구를 좋아하니?

7 How   water   down the waterfall?

얼마나 많은 물이 폭포 아래로 떨어지니?   waterfall 폭포

8 How   boys   on the stage?

얼마나 많은 소년들이 무대 위에서 춤추니?

9 How   children   smart-phones?

얼마나 많은 아이들이 스마트 폰을 사용하니?

01   and, but, or 중에서 알맞은 것을 골라 써 보자.

1   She has a brother   a sister.

2   He is smart   not brave.

3   Which do you like better, tea   coffee?

4   Is her answer yes   no?

5   Paul loves his dad   mom.

6   I like swimming   my brother doesn't like it.

7   Is he Tom   Bill ?

02   다음을 지시대로 바꿔 보자.

1   You stay here.

    명령문

2   We go home.

    권유문

3   You are diligent.

    명령문

4   We keep the rules.

    권유문

5   You are honest.

    명령문

6   You drink enough water.

    명령문

7   We are careful.

    권유문

03 다음 문장을 부정문으로 바꿔 보자.

1 Swim in this lake.

⇨ _____ in this lake.

2 Let's start the work.

⇨ _____ the work.

⇨ _____ the work.

3 Be kind to them.

⇨ _____ kind to them.

4 Open the door.

⇨ _____ the door.

5 Let's play PC games.

⇨ _____ PC games.

⇨ _____ PC games.

04 and 와 or 중에서 알맞은 것을 골라 써 보자.

1 Exercise every day, _____ you will be healthy.

2 Stay home at night, _____ you will be safe.

3 Be honest, _____ you will be unhappy.

4 Work hard, _____ you will be rich.

5 Be careful, _____ you will be hurt.

6 Go to bed early, _____ you will be better.

7 Open your mind, _____ you will get a lot of friends.

01　주어진 단어를 이용하여 우리말에 알맞게 빈칸에 써 보자.

1 He _____ the violin.(play)

그는 바이올린을 켤 수 있다.

2 She _____ to market.(walk)

그녀는 시장까지 걸어야만 한다.

3 The old man _____ without a cane. (walk) cane 지팡이

그 노인은 지팡이 없이 걸을 수 있다.

4 They _____ here.(leave)

그들은 여기를 떠나야만 한다.

5 Tom _____ his homework before dinner.(do)

Tom은 저녁식사 전까지 그의 숙제를 할 수 있다.

02　같은 표현으로 바꿔 보자.

1 I can speak English.

= _____ English.

2 He must meet her today.

= _____ her today.

3 Jane can help her mom.

= _____ her mom.

4 Paul must sell his watch.

= _____ his watch.

5 She can make curry and rice.

= _____ curry and rice.

03 주어진 문장을 지시대로 바꿔 보자. 의문문은 대답도 완성해 보자.

1 He can drive a car.

부정문 _____ a car.

2 Tom is able to solve the quiz.

의문문 _____ the quiz?   Yes, _____

3 She can play the cello.

부정문 _____ the cello.

4 It can jump high.

의문문 _____ high?   No, _____

5 Bill can finish it by 7.

의문문 _____ it by 7?   Yes, _____

6 I am able to take the medicine.

부정문 _____ the medicine.

7 You are able to win the race.   race 경주

의문문 _____ the race?   No, _____

8 She can pass the test.

부정문 _____ the test.

9 Your brother is able to do it.

의문문 _____ it?   Yes, _____

10 Tom can stop breathing for 3 minutes.   breathing 호흡

부정문 _____ breathing for 3 minutes.

01 다음 (　) 안에서 알맞은 전치사를 골라 동그라미 해 보자.

1 There is a cup (on, in, at) the table.

2 A cat is (over, under, between) the car.

3 May is (among, between, from) April and June.

4 A stranger is (on, under, at) the door.

5 I get up (at, on, in) 7 o'clock.

6 His family moved to Seoul (at, on, in) 2005.

7 They play soccer (at, on, in) Saturday.

8 We go skiing (at, on, in) winter.

9 She was born (at, on, in) August 20.

10 He takes a walk (at, on, in) the evening.

11 She cleans her teeth (after, from, in) meals. meal 식사

12 The leaves fall (under, out, down) in autumn.

13 People jog (along, through, across) the stream. stream 개천/개울

14 Uncle goes to work (on, in, by) subway. go to work 일하러 가다

15 I study in the library (between, with, for) Tom.

02 다음 우리말에 맞도록 빈칸에 알맞은 전치사를 써 보자.

1 There is the moon _____ the building.

빌딩 위에 달이 있다.

2 There is a bench _____ the tree.

나무 아래에 벤치가 있다.

3 There is a hill _____ the house.

집 뒤에 언덕이 있다.

4 Let's sit _____ the fire.

우리 불 주위에 앉자.

5 It takes 4 hours _____ Seoul _____ Busan by car.

서울부터 부산까지 차로 4시간이 걸린다.

6 Tom was born _____ February 24th, 2005.

Tom은 2005년 2월 24일에 태어났다.

7 It is cold _____ dawn.

새벽에는 춥다.

8 Bears can climb _____ the tree.

곰들은 나무위로 올라갈 수 있다.

9 He cuts bread _____ a knife.

그는 칼로 빵을 자른다.

10 Jane sees me _____ the window.

Jane은 창문을 통해서 나를 본다.

01 다음 빈칸에 들어갈 말로 알맞지 <u>않은</u> 것은?

> How many _____ are there in the basket?

① apples
② cookies
③ cheese
④ eggs
⑤ balls

02 다음 빈칸에 들어갈 말로 알맞은 것은?

> How much salt _____ in the bottle?

① am
② are
③ is
④ does
⑤ do

03 우리말에 알맞게 다음 빈칸을 채워 보자.

> How _____ eggs _____ in the refrigerator?
> 얼마나 많은 달걀이 냉장고 안에 있니?

04 다음 대화의 빈칸에 들어갈 질문으로 알맞은 것은?

> A : _____
> B : There are five pens in my bag.

① How many pens is in your bag?
② How many pen are in your bag?
③ How many pens are in your bag?
④ How much pen is in your bag?
⑤ How much pens are in your bag?

05 다음 빈칸에 차례대로 들어 갈 말로 알맞은 것은?

> · How many girls _____ the violin at the concert?
> · How much snow _____ the roof in winter?

① play - covers
② plays - cover
③ plays - covers
④ play - cover
⑤ plays - is covering

06 어법상 옳은 것을 고르면?

① How many orange are there in the box?
② How many oranges are there in the box?
③ How many oranges is there in the box?
④ How much oranges are there in the box?
⑤ How much oranges is there in the box?

07 다음 대화를 읽고 빈칸에 알맞은 말은?

> *Tom* : I go to school with Bill. He is my best friend.
> *Jane* : Oh! I know him. He is kind to me.
> *Tom* : He is handsome _____ kind.
> *Jane* : I think so.

① and
② or
③ but
④ too
⑤ either

08 다음 빈칸에 들어갈 말로 알맞게 짝지어진 것은?

> · _____ the window. 창문을 닫아라.
> · _____ quiet. 조용히 해.
> · Don't _____ a lie. 거짓말 하지 마.

① close - be - tell
② close - do - tell
③ close - do - telling
④ close - are - tell
⑤ closing - be - tell

09 다음 빈칸에 들어갈 말로 알맞게 짝지어진 것은?

> · Let's _____ soccer. 우리 축구하자.
> · Let's _____ honest. 우리 솔직해지자.
> · Let's not _____ him.
> 　우리 그를 괴롭히지 말자.

① playing - are - tease
② playing - is - tease
③ plays - are - tease
④ play - be - tease
⑤ to play - be - tease

10 다음 빈칸에 들어갈 접속사가 순서대로 바르게 짝지어진 것은?

> · Is she a doctor _____ a patient?
>   patient 환자
>
> · Jake is strong _____ not brave.
>
> · I have 2 dollars _____ 50 cents.

① and - but - or
② or - and - but
③ but - and -or
④ or - but - and
⑤ and - or - but

11 다음 문장을 부정문으로 바꿔 보자.

> Follow me.

⇨ _____

> Let's go to the party.

⇨ _____

12 다음 중 틀린 곳을 바르게 고쳐 써 보자.

> Be careful, and you will cut your finger.

_____ ⇨ _____

13 다음 문장의 밑줄 친 부분이 바르게 짝지어진 것은?

> · He can _____ a horse.
>
> · She often _____ the cello.
>
> · Tom must _____ it till tomorrow.

① ride - plays - finish
② rides - play - finish
③ ride - play - finishes
④ ride - play - finish
⑤ rides - plays - finish

14 다음 문장과 의미가 같은 것은?

> She can fly a kite.

① She has to fly a kite.
② She is flying a kite.
③ She is able to fly a kite.
④ She will fly a kite.
⑤ She must fly a kite.

fly 날리다/날다 kite 연

15 다음 두 문장이 같은 의미가 되도록 빈칸을 채워 보자.

> Tom must find his smart phone.
> = Tom _____ _____ find his smart phone.

16 다음 문장을 부정문과 의문문으로 바꿔 써 보자.

> He is able to solve the riddle.

부정문 : _____

의문문 : _____

riddle 수수께끼

17 다음 문장을 우리말로 바르게 옮긴 것은?

> He has to check the airline tickets.

① 그는 비행기표를 검사할 수 있다.
② 그는 비행기표를 검사했다.
③ 그는 비행기표를 검사할 것이다.
④ 그는 비행기표를 검사해야만 한다.
⑤ 그는 비행기표를 검사하고 있다.

airline ticket 비행기표

18 다음 질문에 대한 대답으로 알맞게 짝지어 진 것은?

> Can you play the piano?
> Are you able to fix the PC?

① Yes, I can - Yes, I am.
② Yes, I do. - Yes, I am.
③ Yes, I can - Yes, I do.
④ No, I don't. - No, I am not.
⑤ No, I can't. - No, thanks.

[19-20] 다음 빈칸에 공통으로 들어갈 말로 알맞은 것은?

19

> There is a tree ____ the house.
> I go to school ____ subway.

① on
② in
③ at
④ by
⑤ to

20

> There is a lot of rain _____ summer.
> The Seoul Olympic was held _____ 1988.

① on
② in
③ at
④ by
⑤ to

21 다음 중 어법상 옳지 <u>않은</u> 문장은? (2개)

① This card is for you.
② I want to go with Jane.
③ He visits her on Mondays.
④ We live on Busan.
⑤ She goes camping on Summer.

22 문맥상 이어지는 문장으로 알맞은 것을 고르면?

> Go straight, and
> _____ .

① you don't find the big building.
② you won't find the big building.
③ you'll find the big building.
④ you can't find the big building.
⑤ you find the big building.

24 다음에서 틀린 곳을 바르게 고쳐 써 보자.

> Many people walk the street along.

_____ ⇨ _____

23 다음 빈칸에 들어갈 말이 순서대로 바르게 짝지어진 것은?

> There is a bridge _____ the river.
> 강위에 다리가 있다.
> There are some spoons _____
> the table. 식탁 위에 숟가락이 몇 개 있다.

① on - over
② on - on
③ over - up
④ up - over
⑤ over - on

25 다음 빈칸에 들어갈 말이 순서대로 바르게 짝지어진 것은?

> There is a bed _____ two chairs.
> 두 의자 사이에 침대가 있다.
> There is a teacher _____ many
> students. 많은 학생들 중에 선생님이 있다.

① beside - between
② between - among
③ among - beside
④ among - between
⑤ beside - among

1·2회
종합문제

01 다음 대화의 빈칸에 각각 알맞은 말을 쓰시오.

Alex : _____ does your
       brother do?
Jerry : He's a baker.
Alex : That's interesting. _
       _____ does he work?
Jerry : He works at Sweet Bakery.
Alex : _____ does he work
       there?
Jerry : Because he can bake lots
       of bread and cake there.

baker 제빵사, bakery 제과점

02 다음 빈칸에 들어갈 말이 순서대로 바르게 짝지어진 것은?

· How _____ you know Jane?
· Why _____ his sister read
  the book?
· What _____ Mr. Smith and his
  son buy at the market?

① do - does - does
② do - do - do
③ does - does - do
④ do - does - do
⑤ does - do - do

03 다음 우리말을 영어로 쓸 때, 빈칸에 들어갈 말이 순서대로 바르게 짝지어진 것은?

그는 누구를 기다리고 있는 중이니?
→Who _____ he _____ for?

① do - wait
② does - wait
③ does - waits
④ is - wait
⑤ is - waiting

04 다음 우리말과 같도록 주어진 단어를 이용하여 영어로 쓰시오.

너는 언제 점심을 먹니?
(have, you, when, lunch, do, ?)
→ _____

05 다음 문장 중 바른 것은?

① When she goes to the gym?
② Why you wash the dishes?
③ How does she buys the tickets?
④ What is Mary do?
⑤ Where does he play golf?

06 다음 대화의 빈칸에 들어갈 말로 알맞은 것은?

> A : Excuse me. _____ is the post office?
>
> B : It is near the taxi stand.

① Where
② How
③ What
④ Who
⑤ When

taxi stand 택시 승강장

07 다음 빈칸에 들어갈 말이 <u>다른</u> 하나는?

① Where _____ they?
② When _____ your birthday?
③ Why _____ Mary and Jane happy?
④ Which _____ my bags?
⑤ What _____ these?

[08–09] 다음을 읽고, 물음에 답하시오.

> *Peter*   : _____ is in the room?
>
> *Jackson* : Juliet is in the room.
>
> *Peter*   : _____ is she doing in the room?
>
> *Jackson* : She is practicing the piano.
>
> *Peter*   : _____ is she practicing the piano?
>
> *Jackson* : Because she will have a talent show very soon.
>
> *Peter*   : That's great. (A) <u>What is the show?</u>
>
> *Jackson* : The show is on September 14th.

08 위 글의 빈칸에 들어갈 의문사를 순서대로 쓰시오.

_____

09 위 글의 밑줄 친 (A)에서 <u>틀린</u> 부분을 찾아 바르게 고쳐 쓰시오.

_____ ⇨ _____

10 다음 우리말과 같도록 빈칸에 알맞은 말을 쓰시오.

> 너는 왜 슬프니?
>
> →Why _____ you _____ ?

[11-12] 다음 빈칸에 들어갈 말이 순서대로 바르게 짝지어진 것을 고르시오.

11
> · _____ sport do you like, soccer or tennis?
> · _____ size do you want?

① What - What
② What - Which
③ Which - What
④ Which - Which
⑤ Which - How

12
> · Who _____ in the house?
> · Where does she _____?

① live - live
② live - lives
③ lives - live
④ lives- lives
⑤ lived - lived

13 다음 두 문장의 뜻이 같도록 할 때, 빈칸에 들어갈 말로 알맞은 것은?

> What time do you do your homework?
> = _____ do you do your homework?

① What   ② Where
③ Why   ④ When
⑤ Who

14 다음 문장에서 틀린 부분을 찾아 바르게 고쳐 쓰시오.

> Why is she go to school early?

_____ ⇨ _____

15 다음은 직업을 묻는 표현이다. 빈칸에 공통으로 들어갈 말로 알맞은 것은?

> What does she do?
> = _____ her job?
> = _____ her occupation?

① Who is   ② Who are
③ What is   ④ What are
⑤ Why is

16 다음 빈칸에 들어갈 말로 가장 알맞은 것은?

> A : _____ is the
>   bridge?
> B : _____ is 500 m long.

① What big - That
② How big - That
③ What long - That
④ How long - It
⑤ How far - It

17 다음 우리말에 맞게 배열해 보자.

> _____ ?
> (this, temple, how, is, old)
> 이 절은 얼마나 오래 되었니?

18 다음 문장 중 바른 것은?

① It is 2 hours far.
② It is 30 cm wide.
③ He is 160 cm big.
④ Bill is 11 years young.
⑤ That is 5 meters old.

19 다음 대화의 빈칸에 알맞은 단어를 써 보세요.

> A : How far is the park?
> B : It _t_____
>   15 minutes on foot.
> 걸어서 15분 걸려.

on foot 걸어서

20 다음 빈칸에 차례대로 알맞은 것은?

> A : How much _____ the
>   gloves?
> B : _____ are 20,000 won.

① is - it
② is - this
③ are - that
④ are- they
⑤ are - it

gloves 장갑

01 다음 문장 중 바른 것은?

① How many chairs does he make?
② How many card does she buy?
③ How many friend do you invite?
④ How many song does he sing?
⑤ How many rose does your mother sell?

02 다음 빈칸에 들어갈 말이 순서대로 바르게 짝지어진 것은?

> *Ellie* : How _____ is this
> notebook?
> *Sally* : It's 2 dollars. How _____ notebooks do you want?
> *Ellie* : Five.

① much - much
② many - much
③ cost - many
④ many - many
⑤ much - many

03 다음 빈칸에 들어갈 말로 알맞지 <u>않은</u> 것은?

> How much _____ does Tom eat a day?

① cheese   ② bread
③ butter   ④ cake
⑤ oranges

04 다음 대화의 빈칸에 들어갈 말로 알맞은 것은?

> A : How tall is your father?
> B : He is 6 feet 3 inches _____.

① old   ② often
③ far   ④ long
⑤ tall

05 다음 빈칸에 들어갈 말로 알맞은 것은?

> How many _____ are there in the bottle?

① water   ② candies
③ shampoo   ④ sugar
⑤ jam

06 다음 글을 읽고, 이어지는 질문에 대한 대답으로 알맞은 것을 고르시오.

> My father is a pianist, and my mother is a teacher. I have a sister and a brother.

→ How many people are in my family?

① 1 ② 2
③ 3 ④ 4
⑤ 5

07 다음 문장에서 **틀린** 부분을 찾아 바르게 고쳐 쓰시오.

> How much gold are there in a safe?

_____ ⇨ _____

safe 금고

[8-9] 다음은 세 친구가 좋아하는 음식을 나타낸 것이다. 다음 표를 보고, 물음에 답하시오.

	Sam	Tom	John
pizza	○	○	×
chicken	×	○	○
hamburger	×	○	×

08 다음 빈칸에 공통으로 들어갈 말로 알맞은 것은?

> · Sam _____ Tom like pizza.
> · Sam _____ John don't like hamburgers.

① and ② or
③ but ④ so
⑤ such

09 다음 빈칸에 알맞은 접속사를 쓰시오.

> Tom likes chicken, _____ Sam doesn't like chicken.

10 다음 대화의 빈칸에 들어갈 말로 알맞지 <u>않은</u> 것은?

> A : Let's play soccer after school.
>
> B : _____.

① Yes, we do.
② All right.
③ No, let's not.
④ Sure.
⑤ I'm sorry but I can't.

11 다음 문장을 부정문으로 바꿔 쓰시오.

> Let's play baseball.
>
> → _____

12 다음 빈칸에 들어갈 말로 알맞은 것은?

> Drink a lot of water, _____ you will be refreshed.

① and
② or
③ but
④ so
⑤ therefore

refresh 생기를 되찾다

13 다음 빈칸에 들어갈 말로 가장 알맞은 것은?

> Susan feels sick today. But she _____ go to work.
> Luckily, Dr. Lee's office is next to her house. So she can go to see the doctor easily. He gives some medicine to her.

① can
② don't
③ have to
④ has to
⑤ can't

luckily 운좋게

14 다음 두 문장의 뜻이 같도록 할 때, 빈칸에 들어갈 말로 알맞은 것은?

> I have to clean my room.
> = I _____ clean my room.

① has
② must
③ can
④ will
⑤ do

15 다음 문장 중 바른 것은?

① He is able to carries the boxes.
② Mary can walks to school.
③ She is able to visit her friend.
④ I can finishes the work.
⑤ We are able to dances well.

16 다음 대화의 빈칸에 들어갈 말로 알맞은 것은?

> A : Can she drive a truck?
> B : No, _____.

① she doesn't   ② she isn't
③ she can't   ④ she don't
⑤ she can

17 다음 문장을 의문문으로 바꿔 쓰시오.

> They are able to cross the river.
>
> → _____
>
> _____

[18–19] 다음 그림을 보고 물음에 답하시오.

18 위 그림의 내용과 일치하지 <u>않는</u> 것은?

① There is a cap behind the box.
② There is a picture on the wall.
③ There is a cat in front of the bed.
④ There is a book on the table.
⑤ There is a bag by the bed.

19 위 그림과 일치하도록 다음 빈칸에 알맞은 전치사를 쓰시오.

> The hat is _____ the bed.

20 다음 중 전치사의 쓰임이 바르지 <u>않은</u> 것은?

① The concert begins at six.
② We have dinner in noon.
③ I play the cello in the evening.
④ They won the soccer game in 2002.
⑤ Tom goes camping on Sundays.

Grammar **joy** 정답 및 해설

3

「의문사, 일반동사」의문문

기초 다지기
p.16~23

①

1 ① What ② he likes ③ does he like?
　④ What ⑤ What does he like?

②

2 ① When ② the boy rides a bicycle(bike)
　③ does the boy ride a bicycle(bike)?
　④ When
　⑤ When does the boy ride a bicycle(bike)?

3 ① How ② they go to the airport
　③ do they go to the airport?
　④ How ⑤ How do they go to the airport?

③

4 ① Why ② She hates a cat.
　③ does she hate a cat? ④ Why
　⑤ Why does she hate a cat?

5 ① How ② you feel ③ do you feel?
　④ How ⑤ How do you feel?

④

6 ① Who(m) ② Jane is waiting for
　③ is Jane waiting for? ④ Who(m)
　⑤ Who(m) is Jane waiting for? ▶현재진행형

7 ① When ② the train leaves
　③ does the train leave? ④ When
　⑤ When does the train leave?

⑤

8 ① What ② Tom is eating ③ is Tom eating?
　④ What ⑤ What is Tom eating? ▶현재진행형

9 ① Where ② his brother takes a bus
　③ does his brother take a bus? ④ Where
　⑤ Where does his brother take a bus?

⑥

10 ① How ② he makes a robot
　③ does he make a robot ④ How
　⑤ How does he make a robot?

11 ① Why ② Tom and Bill worry
　③ do Tom and Bill worry? ④ Why
　⑤ Why do Tom and Bill worry?

⑦

12 ① Where ② you get an idea
　③ do you get an idea? ④ Where
　⑤ Where do you get an idea?

13 ① Who(m) ② your son is playing with
　③ is your son playing with? ④ Who(m)
　⑤ Who(m) is your son playing with?
　▶현재진행형, '누구를'에 해당하는 말은 who 의 목적격 whom
　이지만, 실제로는 who를 주로 사용한다.

⑧

14 ① When ② your parents take a walk
　③ do your parents take a walk? ④ When
　⑤ When do your parents take a walk?
　▶your parents는 3인칭 복수이므로 do를 이용하여 의문문을 만든다.

15 ① What ② you are doing
　③ are you doing? ④ What
　⑤ What are you doing? ▶현재진행형

꼭꼭 다지기

p.24~27

①

1 Where, do you put your garbage?,
　Where do you put your garbage?

2 How, does he open the can?,
　How does he open the can?

3 Why, does Laura save money?,
　Why does Laura save money?

4 When, does the play open?,
　When does the play open?

5 Who(m), are they looking for?,
　Who(m) are they looking for? ▶현재진행형

②

1 How, do you remember it?,
  How do you remember it?
2 Where, does dad park his car?,
  Where does dad park his car?
3 What, is she cooking?,
  What is she cooking? ▶현재진행형
4 Why, do you keep a diary?,
  Why do you keep a diary?
5 Who(m), is he helping?,
  Who(m) is he helping? ▶현재진행형

③

1 Where, are they playing soccer?,
  Where are they playing soccer? ▶현재진행형
2 How, does she know the answer?,
  How does she know the answer?
3 When, does he send a text message?,
  When does he send a text message?
4 Why, do you ask me?,
  Why do you ask me?
5 How, does it taste?,
  How does it taste?

④

1 What, do you want?, What do you want?
2 How, does Robert spend his time?,
  How does Robert spend his time?
3 Where, does this bus stop next?,
  Where does this bus stop next?
4 When, does the sale end?,
  When does the sale end?
5 Where, are they taking a picture?,
  Where are they taking a picture?
  ▶현재진행형 are taking a picture

①

1 왜. Why does Mr. Smith catch a cold every year?
2 언제. When does the school start?
3 어디에서. Where is she shopping? ▶현재진행형
4 어디로. Where do you go camping?
5 어떻게. How does Tom buy the ticket?
6 무엇이. What do they need?
7 왜. Why does he change his e-mail address?
8 어디서. Where do you get off?
9 어디에. Where do I sign?
10 무엇이라고. What is your grandmother saying?
   ▶현재진행형 is saying

②

1 무엇. What do they think about it?
2 어디서. Where is your son doing his homework?
3 누구를. Who(m) does Jimmy visit everyday?
4 언제. When does she graduate?
5 어떻게. How does he explain it?
6 왜. Why is she turning right?
7 언제. When does the summer vacation start(=begin)?
8 왜. Why are the boys laughing?
9 어떻게. How do you solve the problem?
10 어디가. Where do you ache?

실전Test

01 What 02 How 03 Where 04 ④ 05 ③
06 ⑤ 07 When does your son take a piano lesson? 08 She takes → does she take 09 ④
10 ②

02 수단, 방법을 묻는 질문이므로 의문사. how가 와야 한다.

03 장소를 묻는 질문이므로 의문사 where 가 와야 한다.

04 '미나'는 3인칭 단수이므로 조동사 does를 쓰고 뒤에 나오는 본동사는 동사원형을 쓴다.

05 현재진행형이므로, Where+is+단수주어+동사원형 −ing~?가 되어야 한다.

06 의문사가 있는 의문문은 Yes, No 로 대답할 수 없다.

07 When does your son take a piano lesson? When+일반동사 의문문

08 'Why+일반동사 의문문' 이므로 조동사 does가 she앞에 와야 하고 take는 원형으로 와야 한다.

09 대답이 사람(Tom)이므로, who(m)으로 물어봐야 한다.

10 주어가 복수이면 do, 3인칭 단수이면 does를 쓴다.

 p.34

1 After school, In the evening
2 Jane
3 By bus
4 After school, In the evening
5 In his room
6 Because she wants to catch a taxi
7 A cell phone

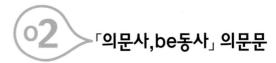 「의문사, be동사」 의문문

기초다지기 p.38~45

①

1 ① What ② these are ③ are these?
④ What ⑤ What are these?

②

2 ① Why ② you are hungry
③ are you hungry? ④ Why
⑤ Why are you hungry?

3 ① How ② she is ③ is she?
④ How ⑤ How is she?

③

4 ① When ② you are happy
③ are you happy? ④ When
⑤ When are you happy?

5 ① Where ② Tom's bag is ③ is Tom's bag?
④ Where ⑤ Where is Tom's bag?

④

6 ① Who ② Paul is ③ is Paul?
④ Who ⑤ Who is Paul?

7 ① Why ② he is busy ③ is he busy?
④ Why ⑤ Why is he busy?

⑤

8 ① Where ② my glasses are
③ are my glasses? ④ Where
⑤ Where are my glasses?
▶glasses는 복수이므로 be동사 are를 써야 한다.

9 ① Why ② the sky is blue
③ is the sky blue?
④ Why ⑤ Why is the sky blue?

6

10 ① What　② your plan is
　③ is your plan?　　　　④ What
　⑤ What is your plan?

11 ① How　② they are different
　③ are they different?　　④ How
　⑤ How are they different?

7

12 ① Why　② your teacher is angry(=upset)
　③ is your teacher angry(=upset)?　④ Why
　⑤ Why is your teacher angry(=upset)?

13 ① When　② his birthday is
　③ is his birthday?　　　④ When
　⑤ When is his birthday?

8

14 ① How　② your new apartment is
　③ is your new apartment?　④ How
　⑤ How is your new apartment?

15 ① What　② her problem is
　③ is her problem?　　　④ What
　⑤ What is her problem?

꼭꼭 다지기　　　　p.46~47

1

1 Why, are you in blue?, Why are you in blue?
2 When, is your turn?, When is your turn?
3 Why, are they noisy?, Why are they noisy?
4 Where, are we now?, Where are we now?
5 What, is her name?, What is her name?

2

1 Where, are Tom's friends?,
　Where are Tom's friends?
2 Why, is he healthy?, Why is he healthy?
3 What, is his message?, What is his message?

4 Why, are you busy?, Why are you busy?
5 How, is the weather?, How is the weather?

실력 다지기　　　　p.48~49

1

1 누가. Who is Helen?
2 무엇. What are those presents?
3 어떻게. How are your parents?
4 왜. Why is Tom tired?
5 무엇. What is your happiness?
6 어디. Where is his office?
7 왜. Why is it wrong?
8 누가. Who are your friends?
9 언제. What is the next show time?
10 어떻게. How is this possible?

2

1 무엇. What is the popular music?
2 어디에. Where is the stationery?
3 왜. Why are Sam and Paul famous?
4 언제. When is winter vacation?
5 무엇. What is Today's news?
6 누가. Who are your aunts?
7 왜. Why is this car expensive?
8 어디에. Where are my keys?
9 어떻게(어떠한). How is your study?
10 무엇. What is their goal?

실전Test　　　　p.50~53

01 ②　02 ③　03 ④　04 ④　05 are → is
06 ②　07 ⑤　08 ⑤　09 (A) - ⓑ, (B) - ⓐ
10 do → are

01 ①③④⑤는 문맥상 어울리지 않는다.

02 '그는 창백하니?'는 Is he pale?이므로 의문사 뒤에 의문문을 붙여
　주면 된다.

03 these가 복수이므로 are로 써야 한다.

04 ① 장소를 묻는 의문문, ②직업을 묻는 의문문, ③ 키를 묻는 의문문, ⑤ 이유를 묻는 의문문

05 your uncle이 3인칭 단수이므로 are가 아니라 is로 받는다.

06 의문사로 시작한 질문은 Yes나 No로 대답할 수 없다.

07 안부를 묻는 질문으로, your sisters는 3인칭 복수이므로 they로 받고, 의문사로 시작하는 의문문은 Yes나 No로 대답할 수 없다.

08 who+be동사~?

10 why+be동사 의문문

 p.54

1 It's her present
2 Tomorrow
3 They are in my school bag
4 Fine
5 They are my son's toys
6 It is on the desk
7 Because her leg is achy

 의문대명사와 의문형용사

기초다지기 p.58~61

1 1 buys 2 rides 3 is coming 4 waxes 5 wears 6 tells 7 is taking

1 eats 2 watches 3 makes 4 plays 5 does 6 wants 7 cures

2 1 Who 2 What 3 What 4 Who 5 What 6 Who 7 What 8 Who 9 What 10 Who

3 1 Which 2 What 3 What 4 Which 5 Which 6 What 7 Which

1 What 2 Which 3 What 4 What 5 What 6 Which 7 Which

4

1 Whose, this car 2 Which, her bag
3 Whose, that 4 Which shirt, my dad's
5 Whose notebooks, those
6 Which, your boat 7 Whose, these
8 Which shoes, mine 9 Which, his card
10 Whose guitar, that

꼭꼭다지기 p.62~65

1 1 What 2 What 3 Who 4 What 5 Who 6 What 7 Who 8 What 9 Who 10 What

2 1 Whose 2 Whose, credit cards 3 theirs 4 Which 5 Which, violin 6 Whose 7 Whose, TV antenna 8 Tom's cell phone 9 Whose, onion soup 10 Which, jacket

③

1 Who, goes to church on Sundays?,
  Who goes to church on Sundays?
2 Who, is singing now?,
  Who is singing now?
3 Who, is sleeping in his room?,
  Who is sleeping in his room?
4 Who, looks after the child?,
  Who looks after the child?
5 Who, makes curry and rice?,
  Who makes curry and rice?

④

1 Whose necklace, is this?,
  Whose necklace is this?
2 Which, is his eraser, this or that?,
  Which is his eraser, this or that?
3 Whose, are those cars ?,
  Whose are those cars?
4 Which, is her hairpin, blue or red?,
  Which is her hairpin, blue or red?
5 Whose students, are they?,
  Whose students are they?

실력다지기

p.66~67

①

1 누가 / Who, is guiding the tourists here
2 누구의 아이디어 / Whose idea, is this
3 누가 / Who, opens your store
4 어느 것 / Which, is Tom's house, new one or old one
5 누가 / Who, carries milk
6 누구의 것 / Whose, is this CD
7 어느 것 / Which, does he prefer, coffee or tea
8 무슨 꽃 / What, (kind of) flower, does she grow
9 누가 / Who, is taking a shower
10 누구의 양들 / Whose, sheep, are those

②

1 누구의 순서 / Whose, turn, is it next
2 누가 / Who, is jumping rope?
3 어느 소년 / Which, boy, is your best friend, Bill or Tom?
4 어떤 아이스크림 / Which, ice cream, do the children select, vanilla or strawberry?
5 누구의 결혼기념일 / Whose, wedding day, is (it) today?
6 무슨 과목 / What, subject, is she good at?
7 누가 / Who, makes your bed?
8 어느 것 / Which, is her ring, gold or silver?
9 누가 / Who, is sharing an umbrella with Jane?
10 누구의 것 / Whose, is that hamburger?

실전Test

p.68~71

01 ⑤   2 ⑤   3 ④   4 ②   5 ③, ⑤   6 ④
7 ②   8 ③   9 ③   10 ③

01 두 개 이상의 범위가 정해져 있는 것 가운데 선택할 때 쓸 수 있는 의문사 which를 사용한다.

02 누가 노란 코트를 입는지 묻고 있으므로 의문사 who로 물어야 한다.

03 직업을 묻는 질문이므로 대답에 직업이 들어 있어야 한다.

04 what으로 묻고 있으므로 대답에 장소가 나올 수 없다.

05 ③은 Where, ⑤는 How가 들어간다.

06 순서대로 Who, What, What이 들어간다.

07 whoes뒤에 명사가 있으면 '누구의~'라는 의문 형용사, whose 뒤에 명사가 없으면 '누구의 것'이라는 의문대명사이다.

08 ③은 '그는 지금 무엇을 하고 있니?'라는 뜻이며, 나머지는 모두 직업을 묻는 표현이다.

09 범위가 정해져 있는 상태에서 선택을 요구할 때는 의문사 'which', 범위가 정해져 있지 않은 상태에서 물을 때는 의문사 'what'을 사용한다.

10 때를 묻는 의문사 when이 들어가야 한다.

Quiz!

p.72

1 Jenny   2 My mom's, Mr. Brown's car   3 Fall
4 My mom's   5 This   6 At 10   7 Yellow

 의문부사(1)

1

1 ① How   ② long   ③ the snake is
   ④ is the snake?   ⑤ How long
   ⑥ How long is the snake?   ⑦ long

2 ① How   ② old   ③ your teacher is
   ④ is your teacher?   ⑤ How old
   ⑥ How old is your teacher?   ⑦ old

2

3 ① How   ② often   ③ you pray
   ④ do you pray?   ⑤ How often
   ⑥ How often do you pray?   ⑦ Twice

4 ① How   ② deep   ③ this well is
   ④ is this well?   ⑤ How deep
   ⑥ How deep is this well?   ⑦ deep

3

5 ① How   ② far   ③ the library is
   ④ is the library?   ⑤ How far
   ⑥ How far is the library?

6 ① How   ② wide   ③ this playground is
   ④ is this playground?   ⑤ How wide
   ⑥ How wide is this playground?   ⑦ long
   ⑧ wide

4

1 ① How   ② much   ③ this pen is
   ④ is this pen?   ⑤ How much
   ⑥ How much is this pen?

2 ① How   ② many   ③ songs
   ④ the singer sings   ⑤ does the singer sing?
   ⑥ How many songs
   ⑦ How many songs does the singer sing?

5

3 ① How   ② many   ③ snowmen
   ④ they are making   ⑤ are they making?
   ⑥ How many snowmen
   ⑦ How many snowmen are they making?

4 ① How   ② many   ③ words
   ④ she memorizes   ⑤ does she memorize?
   ⑥ How many words
   ⑦ How many words does she memorize?

6

5 ① How   ② much   ③ milk   ④ he drinks
   ⑤ does he drink?   ⑥ How much milk
   ⑦ How much milk does he drink?

6 ① How   ② much   ③ honey   ④ you need
   ⑤ do you need?   ⑥ How much honey
   ⑦ How much honey do you need?

1

1 How well, does it work?,
   How well does it work?

2 How long, is this bridge?,
   How long is this bridge?

3 How far, is the subway station?,
   How far is the subway station?

4 How deep, is mom's love?,
   How deep is mom's love?

5 How tall, is the boy?,
   How tall is the boy?

2

1 How wide , is America?,
   How wide is America?

2 How often , does she wash her hands?,
   How often does she wash her hands?

3 How old , is the tree?,
  How old is the tree?
4 How old , are they?,
  How old are they?
5 How much , is this handbag? ,
  How much is this handbag?

3

1 How many countries ,
  do Minho and Sumi visit?,
  How many countries do Minho and Sumi visit?
2 How much time(How many hours) ,
  do you practice?,
  How much time(How many hours) do you practice?
3 How many times , does Bob eat out?,
  How many times does Bob eat out?
4 How many students , does Mr. Williams teach?,
  How many students does Mr. Williams teach?
5 How many hot dogs , is the child eating?,
  How many hot dogs is the child eating?

4

1 How many classes ,
  does she take?,
  How many classes does she take?
2 How many hamburgers ,
  do they sell?,
  How many hamburgers do they sell?
3 How many friends ,
  does Jane have?,
  How many friends does Jane have?
4 How much oil ,
  does the cook use?,
  How much oil does the cook use?
5 How many dogs ,
  do you raise?,
  How many dogs do you raise?

 p.86~87

1 몇 살. How old, is your dad, old
2 얼마나 자주. How often, does your mom go to the hair salon
3 얼마나 기. How long, is the sausage, long
4 얼마나 키가 크. How tall, is Jane, tall
5 얼마나 깊. How deep, is this sea, deep
6 얼마나 넓으. How wide, is the garden, long, wide
7 가격이 얼마. How much, is this toy, 50 dollars
8 얼마나 멀리. How far, is the next service, one hour
9 얼마나 자주. How often, do you have headaches, Once
10 얼마나 오래.How old, is this cathedral, old

2

1 얼마나 많은 돈을. How much money, does Peter borrow?
2 얼마나 많은 밀가루가. How much flour, does he need?
3 얼마나 많은 사과를. How many apples, does Jane pick?
4 얼마나 많은 자동차를. How many cars, does he repair?
5 얼마나 많은 방을. How many rooms, does she clean?
6 얼마나 많은 탄산음료를. How much soda, do you drink?
7 얼마나 많은 물을. How much water, does one(a) person spend?
8 얼마나 많은 창문을. How many windows, does the house have?
9 얼마나 많은 그림을. How many pictures, does she draw?
10 얼마나 많은 사람들을. How many people, does Tom meet?

실전Test
p.88~91

01 ④ 02 ② 03 ⑤ 04 How many desks
does he make? 05 many, does 6 much, do,
make 07 ② 08 ④ 09 ⑤ 10 ②

01 How deep – 깊이를 물을 때, How wide – 넓이를 물을 때
02 salt는 셀 수 없는 명사이므로 How much를 사용해야 한다.
03 Coke는 셀 수 없는 명사이고 양을 묻고 있으므로 much를 사용한다.
04 How many+복수명사+일반동사 의문문
05 How many+복수명사+일반동사 의문문

06 You make.를 의문문으로 만들면 Do you make~?가 되므로 How much cheese+do you make?

07 가격을 물을 때 주어가 단수이면 is, 주어가 복수 이면 are을 사용한다.

08 ④ 'How many 복수명사' 이므로 How many kites가 되어야 한다.

09 ①'나이'를 묻는 질문 ② '깊이'를 묻는 질문 ③ '키'를 묻는 질문 ④ '길이'를 묻는 질문이다.

10 How tall~?이나 How old~?등으로 질문하면 대답에도 tall, old를 써 준다.

 p.92

1 Seven kilometers long
2 Once a week
3 100miles far from here
4 Twelve years old
5 150 centimeters tall
6 About 30 meters deep
7 Two hundred dollars

Review Test 1

p.94~101

Unit 1

01
1 누구. does she love?
2 어디. do they play basketball?
3 언제. do you have lunch?
4 왜. does Jane look sad?
5 무엇. do you want?
6 어디. does he live?
7 누구. does Paul meet?
8 어떻(어떠한). does it taste?

02
1 무엇. What does she have
2 어디. Where do you study
3 언제. When does Tom come
4 누구를. Who(m) does Jane invite
5 왜. Why do you go

6 어떻게. How do I get
7 어디. Where are you looking
8 무엇. What is uncle looking
9 무엇. What does he need
10 어떻게. How do you sell

Unit 2

01
1 어디. Where is she
2 언제. When is your birthday
3 왜. Why is he upset
4 무엇. What is your father's job
5 어떠(한). How is the weather
6 누구. Who is he
7 무엇. What is the box
8 어떠(한). How is John's mom
9 어디. Where is the library
10 무엇. What are his presents

02
1 무엇. What is this
2 어디. Where are you
3 누가. Who is
4 어떠(한). How is your grandmother
5 누가. Who is your sister
6 왜. Why is he excited
7 언제. When is her wedding day
8 왜. Why are they tired
9 어디. Where is your school
10 무엇. What are those

Unit 3

01
1 Who drives   2 Who picks   3 Who is
4 Who does   5 Who is cooking

02
1 is your job, is your occupation

03
1 Who   2 Who   3 What   4 What   5 Who

04
1 Which   2 What   3 Which   4 Which   5 What

05

1 this pen　　2 that house　　3 this　　4 your cap
5 Jane's

Unit 4

01

1 How long is the river
2 How often do they play basketball
3 How old is Jane
4 How deep is this well
5 How far is the bakery

02

1 old　　2 tall　　3 deep　　4 long

03

1 far is　　2 How old is　　3 tall is　　4 long is
5 often does she go

04

1 many, does　　2 much, does　　3 much, do
4 many, do　　5 many, do

내/신/대/비 1

p.102~106

01 ③　02 ④　03 ②　04 ③　05 ②　06 Whom
does Jane call everyday?　07 your birthday is →
is your birthday　08 ⑤　09 ④　10 ①　11 ⑤
12 ①　13 ③　14 ⑤　15 ④　16 ③　17 Which
cap do you like 18 ③　19 ④　20 ②　21 ⑤
22 many books　23 How much water does
an elephant drink at a time?　24 How much
time(How many hours)　25 ②, ③, ④

01 장소를 묻고 있다.

02 현재진행형

03 의문사로 시작하는 질문은 Yes, No로 대답할 수 없다.

06 의문사+일반동사 의문문

07 your birthday is → is your birthday

08 의문사+의문문

09 의문사+be동사 의문문

10 직업을 묻는 질문이다.

13 직업을 묻는 표현 4가지

14 둘 중에 하나를 선택할 때는 which를 사용한다.

15 How many doctors가 복수이므로 are가 와야 한다.

18 How 형용사

정답 및 해설　11

o5 의문부사(2)

p.110~111

기초다지기

1

1 ① How ② many ③ seasons
④ there are in a year ⑤ are there in a year
⑥ How many seasons
⑦ How many seasons are (there) in a year?

2 ① How ② many ③ dogs
④ there are in the park
⑤ are there in the park? ⑥ How many dogs
⑦ How many dogs are (there) in the park?

2

3 ① How ② much ③ rice
④ there is in the paper bag
⑤ is there in the paper bag?
⑥ How much rice
⑦ How much rice is (there) in the paper bag?

4 ① How ② many ③ eggs
④ there are in the refrigerator
⑤ are there in the refrigerator?
⑥ How many eggs
⑦ How many eggs are (there) in the refrigerator?

꼭꼭다지기

p.112~117

1

1 How many CDs, are (there) on the desk?,
How many CDs are (there) on the desk?

2 How much shampoo, is (there) in the bottle?,
How much shampoo is (there) in the bottle?

3 How many people, are (there) in your family?,
How many people are (there) in your family?

4 How many coins, are (there) in your pocket? ,
How many coins are (there) in your pocket?

5 How many blankets, are (there) in the room?,
How many blankets are (there) in the room?

2

1 How many animals, are (there) in the zoo?,
How many animals are (there) in the zoo?

2 How much cheese, is (there) on the dish?,
How much cheese is (there) on the dish?

3 How many shirts, are (there) in the drawer?,
How many shirts are (there) in the drawer?

4 How many women, are (there) in the clothing store?, How many women are (there) in the clothing store?

5 How much olive oil, is (there) in the bowl?,
How much olive oil is (there) in the bowl?

3

1 ① How ② many ③ babies
④ are born in a year?
⑤ How many babies are born in a year?

2 ① How ② many ③ flowers ④ come out?
⑤ How many flowers come out?

3 ① How ② much ③ gas ④ is leaking?
⑤ How much gas is leaking?

4 ① How ② many ③ nurses
④ work for the hospital?
⑤ How many nurses work for the hospital?

5 ① How ② many ③ people
④ are jogging in the park?
⑤ How many people are jogging in the park?

4

1 How many people, are waiting for him?,
How many people are waiting for him?

2 How many babies, are sleeping in the room?,
How many babies are sleeping in the room?

3 How much rain , gets into the dam?,
   How much rain gets into the dam?
4 How many boys, join the art club?,
   How many boys join the art club?
5 How much snow, is falling down?,
   How much snow is falling down?

⑤

1 How many cars, are made in Korea?,
   How many cars are made in Korea?
2 How many cooks, are cooking?,
   How many cooks are cooking?
3 How many books, are sold?,
   How many books are sold?
4 How many birds, are sitting on the tree?,
   How many birds are sitting on the tree?
5 How much water, is dripping into the sink?,
   How much water is dripping into the sink?

⑥

1 How many students , write a diary?,
   How many students write a diary?
2 How many people, pray everyday?,
   How many people pray everyday?
3 How many housewives, choose the microwave
   oven?, How many housewives choose the
   microwave oven?
4 How many people , visit the orphanage?,
   How many people visit the orphanage?
5 How many children, are playing on the ground?,
   How many children are playing on the ground?

p.118~119

①

1 몇 개의 궁궐이 / How many palaces are (there) in
   Seoul

2 얼마나 많은 장미가 / How many roses are (there) in
   the flower shop
3 얼마나 많은 밀가루가 / How much flour is (there) in the
   jar
4 몇 개의 가게가 / How many stores are (there) in the
   mall
5 몇 장의 수건들이 / How many towels are (there) in
   the bathroom
6 얼마나 많은 설탕이 / How much sugar is (there) in the
   soft drink
7 몇 개의 섬이 / How many islands are (there) in this
   country
8 몇 마리의 얼룩말이 / How many zebras are (there) in
   the field
9 몇 권의 교과서가 / How many textbooks are (there) in
   your school bag
10 몇 분이 / How many minutes are (there) in an
   hour

⑥

1 몇 명의 무용수들이 / How many dancers are dancing
   on the stage
2 몇 명의 사람들이 / How many people are waiting in
   line
3 얼마나 많은 아이들이 / How many children speak in
   English
4 몇 명의 소년들이 / How many boys do the exercise
5 몇 명의 어린이들이 / How many children swim in the
   pool
6 얼마나 많은 소녀들이 / How many girls are surrounding
   Tom
7 얼마나 많은 별들이 / How many stars twinkle in the
   sky
8 얼마나 많은 마을 사람들이 / How many villagers take a
   rest
9 얼마나 많은 소방관들이 / How many fire fighters rescue
   people
10 얼마나 많은 사자들이 / How many lions are lying in
   the shade

01 ⑤   02 are, there   03 much   04 many
05 ③   06 ①   07 How, many, teachers
08 ④   09 ①   10 ④

01 How much is this watch? 이 시계는 얼마이니? How many coins are there in his hand? 그의 손에는 몇 개의 동전이 있니?

02 앞에 복수명사 students가 왔으므로 are there가 들어가야 한다.

03 How much+셀 수 없는 명사

04 How many+셀 수 있는 명사

05 How mamy+셀 수 있는 명사의 복수형

06 snow는 셀 수 없는 명사이므로 s를 붙일 수 없다.

07 대답이 '많은 선생님들'이므로 선생님의 인원수를 묻는 How many teachers가 된다.

08 much 뒤에는 셀 수 없는 명사가 와야 하므로 셀 수 있는 명사인 apples는 올 수 없다.

09 sugar는 셀 수 없는 명사이므로 뒤에 is가 와야 한다.

10 candies는 복수명사이므로 How many candies 뒤에 are이 와야 한다.

 p.124

1 Three cats.
2 Four seasons.
3 About 1550mm.
4 10 people.
5 A little.
6 5 churches in this town.
7 50 dollars.

 06 접속사와 명령문

 기초다지기   p.128~131

1

1 Open the door
2 Be careful ▶명령문은 주어 you를 없애고 동사원형으로 시작한다. are 의 원형은 be이다.
3 Help your father   4 Let's break for lunch
5 Let's make it double   6 Close your mouth
7 Let's be happy
8 Be a diligent student in your study
9 Let's take the elevator 10 Let's do our best

2

1 Let's have lunch in that restaurant
2 Keep off the grass
3 Take a medicine on time
4 Be a good writer
5 Be quiet in the library
6 Let's follow him
7 Put a coin in the vending machine
8 Be a kind person for everyone
9 Let's wait here
10 Take a deep breath

3 1 and 2 but 3 or 4 and 5 or 6 but
7 or 8 or 9 and 10 but 11 but 12 and
13 or 14 but 15 and

4 1 and ▶명령문, and~:~해라, 그러면~할 것 이다. 명령문, or~:~해라, 그렇지 않으면 ~할 것이다. 2 and 3 or 4 but
5 or 6 and 7 or 8 or 9 or 10 and 11 or
12 but 13 or 14 or 15 and

꼭꼭다지기   p.132~135

1   1 but   2 or   3 but   4 or   5 but   6 and
7 and   8 or   9 but   10 and   11 and   12 or
13 but   14 or   15 or

2   1 or   2 and   3 and   4 and   5 or   6 or
7 or   8 or   9 and   10 or   11 or   12 and
13 and   14 and   15 and

3
1 Don't cross the line
2 Don't let's take a photo ,
  Let's not take a photo
3 Don't climb a tree
4 Don't be afraid of the dog
5 Don't let's pick any apples ,
  Let's not pick any apples
6 Don't mix the fruit and ice cream
7 Don't let's play hide and seek,
  Let's not play hide and seek
8 Don't drop your pencil on the floor

4   1 let's   2 can't   3 All right   4 let's not
5 Sure   6 let's   7 I am sorry   8 O.K.   9 let's not
10 All right

실력다지기   p.136~137

1   1 or → and   2 and → or   3 but → and
4 but → and   5 or → but   6 or → and   7 but →
and   8 or → but   9 or → and   10 and → or   11
and → but   12 but → or   13 or → but   14 and →
but   15 but → or

2   1 holds → hold ▶명령문은 문장 맨 앞에 동사원형이 온다.
2 Not let's → Don't let's (Let's not) ▶권유문의 부정은
Let's not이나 Don't let's를 이용한다.   3 or → and ▶명령문,
and~:~해라, 그러면~할 것 이다. 명령문, or~:~해라, 그렇지 않으면

~할 것이다.   4 let's → let's not   5 cuts → cut ▶명령문은
문장 맨 앞에 동사원형이 온다.   6 and → or ▶명령문, and~:~해
라, 그러면~할 것이다. 명령문, or~:~해라, 그렇지 않으면 ~할 것이다.
7 or → and   8 let's not → let's ▶Yes로 대답하므로 not이
올수 없다.   9 Cross not → Don't cross ▶명령문의 부정은
Don't를 명령문 앞에 붙여 주면 된다.   10 enjoys → enjoy
11 waxes → wax ▶Don't 뒤에는 동사원형이 온다.
12 Follow not → Don't follow   13 and → or
14 Let's don't → Let's not (Don't let's)   15 are →
be ▶Don't 뒤에는 동사원형 be가 온다.

실전Test   p.138~141

01 ①   02 ①   03 ②   04 ⑤   05 ②   06 ①
07 ⑤   08 and   09 don't → not   10 ③

01 긍정 명령문은 문장 맨 앞에 동사원형이 와야 한다.

02 Let's 뒤에는 동사원형이 온다.

03 am, are, is의 동사원형은 be이다.

04 그는 나간다. 그리고 그녀도 역시 나간다. 기호 또는 수진이 둘 중에
   누가 더 빨리 달리니?

05 Let's 다음에는 동사원형이 온다.

06 담배를 끊어라, 그렇지 않으면 너는 아플 것이다.

07 명령문의 부정은 문장 맨 앞에 Don't를 붙여서 만든다.

08 단어를 대등하게 연결하므로 and가 들어가야 한다.

09 Let's로 시작하는 권유문의 부정은 Let's뒤에 not을 붙여 만든다.

10 두 문장 모두 앞뒤가 상반된 의미를 가지고 있으므로 but을 사용한다.

Quiz!   p.142

1 Catch a rabbit   2 Let's visit the sick friend
3 Be a nice guy   4 Let's take a break

1 Don't be afraid of a cat
2 Don't run in the hall way
3 Don't lets make a pizza, (Let's not make a pizza)

1 or   2 but   3 and   4 and   5 or

o7 조동사

p.146~151

1

1 must, 의무. 도와드려야만 한다.   can, 능력/가능. 도와드릴 수 있다.
2 can, 능력/가능. 말 할 수 있다.   must, 의무. 말해야만 한다.
3 can, 능력/가능. 비행기를 타고 갈 수 있다.
   must, 의무. 비행기를 타고 가야만 한다.
4 must, 의무. 걸어가야만 한다.   can, 능력/가능. 걸어갈 수 있다.
5 must, 의무. 끓여야만 한다.   can, 능력/가능. 끓일 수 있다.

2   1 eat   2 has to, call   3 do   4 keep   5 leave
6 have to, finish   7 check   8 meet   9 wear
10 chews   11 have to, end   12 drink   13 learns
14 has to, do   15 order

3

1 are able to pass   2 is able to do
3 can handle   4 are able to save
5 is able to cook   6 can go
7 can cut   8 is able to walk
9 is able to buy   10 can play

4

1 has to come   2 must work
3 have to win   4 has to take
5 has to stay   6 must come
7 have to rescue   8 have to speak
9 must follow   10 must clean

5   1 ①② 2 ⑤⑥ 3 ①③ 4 ①③ 5 ⑤⑥
6 ⑤⑥ 7 ①③ 8 ①④ 9 ①② 10 ⑤⑥

6   1 ⑤⑥ 2 ①③ 3 ⑤⑥ 4 ①③ 5 ①④
6 ⑤⑥ 7 ①② 8 ⑤⑥ 9 ①③ 10 ⑤⑦

p.152~155

1   1 can go   2 have to write
3 must apologize   4 am able to eat   5 must take
6 can move   7 has to leave   8 is able to travel
9 must cross   10 have to pull

2   1 can go   2 have to draw   3 must show
4 has to use   5 can order   6 is able to select
7 is able to do   8 has to believe
9 is able to remember   10 have to come

3

1 He can't sing   2 Can they explain
3 We can't find   4 Can the kid pray
1 They aren't able to break
2 Are you able to start
3 Is he able to surf   4 Ann isn't able to text

4   1 I can   2 he isn't   3 you can
4 I am, I am not   5 she can, she can't
6 he is, he isn't   7 I can, I can't

p.156~157

1   1 can make → cannot make   2 throws →
throw ▶be able to+동사원형   3 changes → change ▶
can+동사원형   4 borrow → to borrow   5 have → has
▶he는 3인칭 단수이므로 has to를 써야 한다.   6 are → is ▶Your
puppy는 3인칭 단수이므로 is able to를 써야 한다.   7 able to → is
able to (=can)   8 moveing → move ▶have to+동사
원형   9 leaves → leave ▶can+동사원형   10 cooks →
cook ▶must+동사원형   11 able to → is able to(=can)
12 has to → have to(=must)   13 send → to send
14 cann't → can't ▶can not의 축약형은 can't이다.   15 not
can → can't (=cannot)

② 1 are → is 2 has → have ▶must+동사원형
3 has to → have to ▶they는 3인칭 복수이므로 have to를 써야 한다. 4 has → have 5 brings → bring ▶can+동사원형 6 must → have 7 teaches → teach 8 able help → able to help 9 is → are 10 becoming → become ▶must+동사원형 11 answering → answer ▶have to+동사원형 12 hunts → hunt 13 must → have 14 plays → play 15 able → is able

실전Test   p.158~161

01 ③ 02 ⑤ 03 ②⑤ 04 ① 05 ②
06 must 07 ④ 08 ⑤ 09 reads → read
10 ④

01 can = be able to
02 ① runs → run ② finds → find ③ catches → catch ④ brings → bring
03 can으로 묻는 의문문에는 Yes, ~can. 또는 No,~can't. 로 대답한다.
04 be able to 뒤에는 동사원형이 온다.
05 Are you~? 로 묻는 의문문에는 Yes, I am. 이나 No, I'm not. 으로 대답한다.
06 have to = must
07 1인칭과 2인칭 3인칭 복수에는 have to를 쓰고, 3인칭 단수에는 has to를 쓴다.
08 must뒤에는 동사원형이 온다.
09 have to나 has to 뒤에는 동사원형이 온다.
10 have to는 '~해야만 한다'의 뜻이다.

Quiz!   p.162

1 ⑤⑥ 2 ①③ 3 ①③ 4 ⑤⑦ 5 ①④ 6 ⑤⑦
7 ①③ 8 ⑤⑥ 9 ⑤⑦ 10 ①②

08 전치사

기초다지기   p.168~173

① 1 at 2 at 3 on 4 at 5 by 6 in 7 over
8 at 9 from, to 10 after 11 among 12 on
13 under 14 at 15 around 16 before
17 between 18 in 19 next to 20 on
21 behind 22 in 23 out 24 in 25 in front of
26 in 27 in 28 in 29 beside 30 in

② 1 to 2 after ▶after는 '~후에', '~뒤에'라는 뜻으로 시간, 위치를 나타낸다. 3 down 4 at 5 by 6. on
7 for ▶for는 '~로 향해, ~를 위하여'의 의미를 가진 전치사이다.
8 under 9 into 10 around 11 for 12 in
13 along 14 in front of 15 with 16 at
17 across 18 in 19 out of 20 among 21 with
22 in 23 through 24 in 25 from, to 26 over
27 by 28 in 29 in 30 behind

③ 1 behind 2 in 3 next to, by, beside 4 in
5 in front of 6 at 7 at 8 at 9 from, to 10 in
11 by, beside 12 in 13 under 14 at 15 on
16 before 17 in 18 on 19 out 20 at
21 over 22 in 23 among 24 in 25 around
26 in 27 between, and 28 on 29 beside
30 after

④ 1 to 2 among 3 out of 4 at 5 by
6 on 7 across 8 under 9 into 10 in 11 for
12 around 13 with 14 behind 15 down
16 in 17 for 18 in 19 along 20 among
21 through 22 in 23 with 24 in 25 from, to
26 between, and 27 next to 28 in 29 at
30 before

5 1 in 2 by 3 among 4 in 5 in ▶in은 시간과 함께 써서 '~후에, ~내에'의 의미를 나타내기도 한다.
6 from, to 7 on 8 into 9 with 10 in
11 next to, by, beside 12 before 13 for
14 at 15 after

6 1 under 2 at 3 between 4 through
5 at 6 for 7 over 8 in 9 in 10 from, to
11 with 12 out of 13 for 14 along 15 in

꼭꼭 다지기   p.174~179

1 1 in 2 over 3 in front of 4 around
5 between, and 6 from 7 through, with
8 next to, by, beside 9 on 10 out of

2 1 behind 2 among 3 with 4 across
5 for 6 out of 7 by 8 from, to 9 between
10 into

3 1 in 2 after 3 in 4 in 5 in 6 before
7 on 8 at 9 on 10 at ▶년, 월, 일, 시가 복합되어 있을 때
는 가장 작은 단위에 맞춘다. 그러므로 여기서는 시간 앞에 'at'을 붙인다.

4 1 over 2 along 3 among 4 at
5 around 6 across 7 around 8 to 9 for
10 into

5 1 down 2 with 3 down 4 next to, by,
beside 5 between 6 with 7 among
8 between 9 on 10 to

6 1 at 2 after 3 on 4 from, to 5 at 6 in
7 in 8 at 9 by 10 at

실력 다지기   p.180~181

1 1 on → at 2 among → along 3 around →
on 4 behind → under 5 on → in 6 around →
through 7 at → up 8 in → on 9 on → in
10 at → in

2 1 behind → beside, by, next to 2 in → at
3 at → on(over) 4 among → between 5 on → in
▶계절 앞에는 전치사 in을 쓴다. 6 on → in ▶'~(시간)이내에'의
의미를 나타낼 때는 전치사 in을 쓴다. 7 between → among
8 along → around 9 out → into 10 along →
across

실전Test   p.182~185

01 down 2 ② 3 ② 4 ④ 5 ①② 6 ② 7
④ among → between 8 ⑤ 9 ② 10 ③

02 ① in~안에 ② on~바로 위에 ③ over(조금 떨어져서)~위에 ④ at~
에 ⑤ from~로부터

03 ①at~에 ② out of~밖으로 ③ on~위에 ④ behind~뒤에 ⑤
with~와 함께

04 ① on~위에 ② in~안에 ③ with~을 가지고 ④ for~를 위하여 ⑤
from~로부터

05 ① before~전에 ② after~후에 ③ on~에(요일 앞) ④ with~와 함
께, ~을 가지고 ⑤ from~로 부터

06 넓은 의미의 장소에는 전치사 in, '달, 월, 계절' 앞에는 전치사 in,
'저녁에'는 in the evening으로 표현한다.

07 '달은 해와 지구(둘) 사이에 있다.'의 의미가 되어야 하므로 전치사
between이 와야 한다.

08 '아래로(방향)'의 뜻을 지닌 전치사는 down이고 '떨어져서 아래에(위
치)'의 뜻을 지닌 전치사는 under이다.

09 at noon 정오에, 요일 앞에는 전치사 on

10 behind(~뒤에) ↔ in front of(~앞에)

p.186

1 next to, by, beside 2 up 3 in 4 in front of
5 before 6 between, and 7 into 8 at 9 at
10 across 11 from, to 12 in 13 behind
14 out of 15 in

Review Test 2
p.188~195

Unit 5

01

1 many 2 much 3 many 4 much 5 many
6 many 7 much

02

1 butter 2 cookies 3 meat 4 rice 5 cups
6 chairs 7 oil

03

1 many, are 2 much, is 3 many, are
4 many, are 5 much, is 6 many, like
7 much, falls 8 many, dance 9 many, use

Unit 6

01

1 and 2 but 3 or 4 or 5 and 6 but 7 or

02

1 Stay here. 2 Let's go home. 3 Be diligent.
4 Let's keep the rules. 5 Be honest
6 Drink enough water. 7 Let's be careful.

03

1 Don't swim 2 Don't let's start (Let's not start)
3 Don't be 4 Don't open
5 Don't let's play (Let's not play)

04

1 and 2 and 3 or 4 and 5 or 6 and 7 and

Unit 7

01

1 can(=is able to) play 2 must(=has to) walk
3 can(=is able to) walk 4 must(=have to) leave

5 can(=is able to) do

02

1 I am able to speak 2 He has to meet
3 Jane is able to help 4 Paul has to sell
5 She is able to make

03

1 He can't drive
2 Is Tom able to solve, he is.
3 She can't play
4 Can it jump, it can't.
5 Can Bill finish, he can.
6 I'm not able to take
7 Are you able to win, I'm not.
8 She can't pass
9 Is your brother able to do, he is.
10 Tom can't stop

Unit 8

01

1 on 2 under 3 between 4 at 5 at 6 in
7 on 8 in 9 on 10 in 11 after 12 down
13 along 14 by 15 with

02

1 over 2 under 3 behind 4 around
5 from, to 6 on 7 at 8 up 9 with
10 through

내/신/대/비 2
p.196~200

01 ③ 02 ③ 03 many, are 04 ③ 05 ①
06 ② 07 ① 08 ① 09 ④ 10 ④ 11 Don't
follow me., Don't let's go to the party (Let's not
go to the party) 12 and → or 13 ① 14 ③
15 has to 16 부정문 : He isn't able to solve the
riddle, 의문문 : Is he able to solve the riddle? 17 ④
18 ① 19 ④ 20 ② 21 ④⑤ 22 ③ 23 ⑤
24 the street along → along the street 25 ②

01 How many+셀 수 있는 명사

02 How much salt는 셀 수 없는 명사이므로 단수 취급한다.

06 How many+복수명사+are

08 명령문은 동사원형으로 시작한다.

12 '명령문,and'는 '그러면 ~하다', '명령문,or'는 '그렇지 않으면 ~하다'

14 ③ can=be able to

18 ① can으로 물으면 can으로, be동사로 물으면 be동사로 대답한다.

21 ④ on Busan? in Busan ⑤ on summer → in summer

22 ③ '명령문, and'는 '그러면 ~하다'

24 전치사의 위치는 '전치사+명사'이다.

종합문제 1회 p.202~205

01 What, Where, Why   02 ④   03 ⑤   04 When do you have lunch?   05 ⑤   06 ①   07 ②
08 Who - What - Why   09 What → When
10 are, sad   11 ③   12 ③   13 ④   14 is → does   15 ③   16 ④   17 How old is this temple
18 ②   19 takes   20 ④

03 현재진행형

05 ① When does she go to the gym? ② Why do you wash the dishes? ③ How does she buy the tickets? ④ What does Mary do?

06 위치를 물을 때는 의문사where를 이용한다.

09 대답이 때를 나타내므로 질문은 때를 묻는 의문사when을 써야 한다.

10 의문사+be동사 의문문

11 둘 중 하나를 고를 때는 의문사 which를, 범위가 정해져 있지 않을 때는 의문사 what을 사용한다.

12 의문사 who가 주어로 쓰일 때는 단수 취급하여 단수동사가 와야 한다.

14 'Why+일반동사 의문문'의 형태이므로 does가 와야 한다.

19 take는 '시간이 걸리다'라는 뜻을 가지고 있다.

20 gloves가 복수이므로 They로 받는다.

종합문제 2회 p.206~209

01 ①   2 ⑤   3 ⑤   4 ⑤   5 ②   6 ⑤   7 are → is   8 ①   9 but   10 ①   11 Don't let's play baseball. (=Let's not play baseball.)   12 ①
13 ④   14 ②   15 ③   16 ③   17 Are they able to cross the river?   18 ④   19 on   20 ②

01 How many+복수명사

02 가격을 묻고, 개수를 묻는 의문문이다.

03 How much 뒤에는 셀 수 없는 명사가 와야 한다. ①②③④는 셀 수 없는 명사이고 ⑤는 셀 수 있는 명사이다.

05 How many+복수명사

07 gold는 셀 수 없는 명사이므로 단수 취급하여 is를 쓴다.

08 Sam 과 Tom은 피자를 좋아하고 , Sam과 John은 햄버거를 좋아하지 않는다.

09 Tom은 치킨을 좋아하지만 Sam은 치킨을 좋아하지 않는다.

10 Let's로 시작하는 권유문의 대답은 긍정이면 Yes, Let's., Sure., All right., 부정이면 I'm sorry but I can't., No, let's not.으로 대답한다.

13 have to~해야만 한다. 3인칭 단수 주어이므로 has to를 쓴다.

15 can, be able to 뒤에는 동사원형이 온다.

16 can으로 시작하는 질문은 Yes, ~can. 또는 No, ~can't.로 대답한다.

17 be able to가 있는 문장을 의문문으로 만들 때는 be동사가 주어 앞으로 나오면 된다.

MEMO